Parfums d'Asie

René LEROUX

Parfums d'Asie

Editions L'ANCRE DE MARINE
4, rue Porcon-de-la-Barbinais
SAINT-MALO – 35400 – FRANCE

IL A ÉTÉ TIRÉ DE CET OUVRAGE
100 EXEMPLAIRES SUR PAPIER
BOUFFANT 90 GRAMMES
NUMÉROTÉS DE 1 À 100
REPRÉSENTANT L'ÉDITION ORIGINALE.

ISBN 2-905970-45-6

Imprimé en France

Tiré par la canonnière « Le Pluvier », le premier obus déchira la nuit tonkinoise avant de s'abattre sur les défenses puissamment fortifiées de Phu-Sa. Il ne fit que peu de dégâts dans les barricades de bambous qui hérissaient la citadelle, mais à son signal les canons et les bouches à feu de toutes les embarcations embossées sur le Fleuve Rouge entrèrent dans la danse.

C'était le 14 décembre 1883 aux confins de la Chine, et le corps expéditionnaire placé sous les ordres de l'amiral Courbet déclenchait une attaque de grande envergure. Elle avait pour objectif la prise de Sôn-Tay, formidable forteresse commandant le delta et repaire inviolable des Pavillons-noirs. Désormais alliés de la cour d'Annam, les mercenaires chinois aguerris et cruels étaient les plus sérieux ennemis de la France.

Depuis des années, les anciens rebelles Taïpings chassés du Kuang-Hsi s'étaient abattus comme des oiseaux de proie sur le Tonkin limitrophe, assiégeant les villes et pillant toute la province. Après un siège de près de deux ans, ils réussirent à s'emparer de Lao-Kay et s'y établirent, entraînés par leur chef sanguinaire appelé Luu-Ving-Phuoc. Ils prirent le nom de Pavillons-noirs et s'illustrèrent de façon sanglante, amassant des profits considérables par la terreur qu'ils faisaient régner dans toute la région du Fleuve Rouge.

Le traité de 1873 établissant sur l'Annam une sorte de protectorat français, mit un terme provisoire aux exactions des pirates chinois. Moins de dix ans plus tard, devant le non-respect des traités et les incidents multiples, un important corps expéditionnaire français débarquait à Haïphong et les troupes faisaient route vers le bassin du Fleuve Rouge. Elles s'emparaient de Nam-Dinh, mais la faible garnison laissée à Hanoï était pendant ce temps attaquée par les annamites renforcés de chinois et de Pavillons-noirs.

Dans le combat sauvage qui jeta les uns contre les autres, le commandant Rivière qui avait sous ses ordres toutes les troupes maritimes et terrestres fut tué, ainsi que plusieurs officiers. La nouvelle de cette mort du commandant en chef du corps expéditionnaire, eut en France un grand retentissement et provoqua l'envoi massif de renforts.

Le 25 octobre 1883, l'amiral Courbet était nommé commandant en chef des troupes de mer et de terre. Le nouveau corps expéditionnaire était fort de quelque 10.000 hommes et renforcé de 3.000 auxiliaires tonkinois. S'y ajoutait une puissante escadre navale composée de trois cuirassés, de six croiseurs et de deux avisos. Des bataillons de fusiliers-marins, de la Légion étrangère, de Turcos algériens, de tirailleurs annamites et de troupes d'artillerie de marine formaient l'essentiel des effectifs engagés dans cette campagne.

Position stratégique de première importance, Sôn-Tay verrouillait les portes du Tonkin. Située au centre de la citadelle, la pagode royale d'où commandait le maréchal Hoang-Ke-Viem, gouverneur de la province, était entourée d'immenses magasins, de casernes fortifiées et de bâtiments militaires. La ville était jugée imprenable et protégée par des milliers de soldats. Le haut- commandement français ne pouvait accepter cette situation, il décida d'attaquer Sôn-Tay après avoir préparé l'assaut.

Partis de Hanoï, 3.500 hommes furent transportés par des chaloupes à vapeur et des jonques sur le Fleuve Rouge, ils débarquèrent à six kilomètres en aval de Sôn-Tay. Presque autant d'hommes avançaient sur les digues, flanqués de coolies porteurs. Ils devraient faire leur jonction avant l'assaut final, mais les obstacles étaient d'importance. Un des plus redoutables était Phu-Sa, qui barrait la route des digues, un formidable retranchement défendu par de puissantes casemates et des dizaines de canons. Derrière leurs barricades de bambous inextricables, les Pavillons-noirs attendaient les français.

Depuis plus de deux heures, les sept canonnières engagées sur le Fleuve Rouge arrosaient d'obus la citadelle. Les canons chinois y répondaient rageusement mais peu à peu se turent, sans doute mis hors de combat. Le jour s'était levé, et au signal convenu, les troupes d'assaut se mirent en marche. Derrière les premières casemates rapidement enlevées, le terrain à franchir était entièrement à découvert. Les tirailleurs algériens et l'infanterie de marine qui composaient la première vague, furent accueillis par une terrible fusillade qui fit des ravages dans leurs rangs.

Au prix de pertes très importantes, une première barricade était enlevée, mais derrière leurs retranchements les Pavillons-noirs poursuivaient un feu meurtrier et n'avaient que peu de tués. Cloués sur le terrain où s'entassaient les cadavres, les français avaient devant eux une seconde barricade plus fortifiée encore. L'opération s'annonçait plus qu'incertaine, les canons du fleuve ne pouvant plus tirer.

Toute la journée, les combats meurtriers se poursuivirent. Un dernier assaut fut lancé avant la nuit, repoussé comme les autres et aussi sanglant que les précédents. Les Turcos, baïonnette au canon, se jetaient contre la barricade en hurlant mais le feu précis des pirates chinois les fauchait inexorablement. Une audacieuse sortie des Pavillons-noirs leur permit même de s'emparer de quelques tirailleurs et de les entraîner dans la citadelle, sous les yeux horrifiés de leurs camarades impuissants.

Des retranchements creusés à la hâte avant que ne tombe la nuit, abritaient maintenant une section de l'infanterie de marine. Des feux de salve étaient régulièrement tirés, mais vers deux heures du matin les Pavillons-noirs enhardis par l'obscurité et forts de leur connaissance du terrain lançaient une contre-attaque. Elle fut extrêmement violente et causa des pertes cruelles, semant la panique parmi les troupes affolées par les cris sauvages d'un ennemi insaisissable.

Au matin du 15 décembre, le calme régnait sur les positions chinoises. Un silence inquiétant succédait à une nuit d'épouvante, la terrible barricade avait été désertée avant l'aube par ses défenseurs. Derrière, les français vont trouver sept cadavres décapités et abominablement torturés. Ceux des Turcos enlevés par les Pavillons-noirs. Leurs têtes aux yeux crevés sont plantées sur des bambous, image effroyable qui glace le sang des plus braves. Toute la journée, les hommes creusent des positions nouvelles, enterrent leurs morts et préparent l'attaque du lendemain.

Des renforts sont arrivés. Les Turcos décimés sont remplacés par des légionnaires et un bataillon de fusiliers-marins. D'autres fortifications, d'autres barricades attendent les soldats surexcités par l'horrible spectacle de leurs camarades torturés, et les immenses étendards noirs qui claquent au vent sur les positions chinoises sont comme un défi.

C'est vers dix heures, le 16 décembre, qu'est donné le signal de l'assaut et très vite la grande pagode tombe aux mains des français. Ceux-ci ne font pas de quartier. Toutes les portes de la citadelle sont attaquées à la fois, mais l'ennemi semble toujours aussi résolu. Les affrontements meurtriers se poursuivront toute la journée, et le soir le drapeau tricolore flottera sur les premiers fortins qui protègent la citadelle.

La nuit était tombée sur Phu-Sa. Dans le fortin qu'ils avaient conquis de haute lutte, les fusiliers-marins se reposaient. Yann Bellec, breton de Saint-Malo, un garçon de dix-neuf ans dont la haute taille et les yeux très bleus attiraient les regards souvent admiratifs des hommes, et toujours attendris des femmes, parlait du pays avec un de ses camarades, natif de Cancale. Tous deux en étaient à comparer la beauté respective des malouines et des cancalaises. Une partie de la nuit, pour le plus grand plaisir de tous, ils en détaillèrent les charmes, chacun restant sur ses positions.

A l'aube du 17 décembre, le cancalais de vingt ans tombait parmi les premiers à l'assaut des ultimes défenses du réduit chinois. En ce jour, les Pavillons-noirs avaient juré que le fleuve serait rouge du sang des étrangers. Une terrible fusillade avait semé la mort chez les français, un atroce corps-à-corps lui succédait. Dans les flammes et les détonations, une empoignade terrifiante s'engageait.

Dans la fumée et le fracas des explosions, les cris de haine et de douleur, le combat devint effroyable. Le regard halluciné, les fusiliers-marins grisés par la poudre et ivres de fureur, rugissaient comme des fauves et s'ouvraient une brèche sanglante dans les rangs serrés des petits hommes jaunes. Leurs baïonnettes rageusement maniées trouaient des poitrines, crevaient des abdomens, faisant d'horribles blessures qui mettaient à nu des viscères innommables, dans une odeur immonde de sang et d'excréments.

Fanatisés, les Pavillons noirs se battaient aussi comme des démons. Leurs tirs précis avaient à bout portant semé la mort dans la première vague française, mais enjambant les cadavres de leurs camarades les assaillants avaient poursuivi leur assaut forcené. Dans l'impossibilité de recharger leurs armes, les chinois opposaient sabres et poignards à la ruée adverse. Une forme de combat familière aux mercenaires de Luu-Vinh-Phuoc, aguerris par des années de piraterie du Tonkin au Yunnan.

C'était maintenant une véritable boucherie où, dans un corps à corps monstrueux, les lames d'acier taillaient dans les chairs. Désormais, les Pavillons noirs ne reculaient plus, et ceux qui tombaient étaient aussitôt remplacés par de nouveaux venus toujours plus nombreux. Aux bambous de la barricade, les corps en uniformes bleus s'entassaient mutilés, et les cris aigus des chinois montèrent comme un chant de victoire. Un instant bousculés, les fusiliers-marins refluèrent vers la pagode.

Couvert de sang, les vêtements en lambeaux, Yann se battait de toutes ses forces et sa haute taille dominait la mélée. Sa baïonnette brisée dans un crâne chinois, il avait ramassé sur un cadavre une sorte de coupe-coupe et les moulinets terrifiants de son arme faisaient le vide autour de lui. Combien en avait-il tué de ces petits hommes vêtus de noir ? Les forces décuplées par la rage, il frappait sans relâche, l'écume à la bouche, assourdi par les hurlements sauvages et les glapissements aigus qui lui déchiraient les tympans.

Brave jusqu'à l'inconscience, l'Enseigne de Vaisseau de Valclouet précédait ses hommes le sabre haut levé, frappant d'estoc et de taille jusqu'au moment où il se trouva isolé et entouré de plusieurs pirates. L'un des leurs, sans doute un chef, voyant les galons d'or du français jeta un ordre bref. Assommé par derrière d'un terrible coup de crosse de fusil, l'officier s'effondra et quatre chinois le trainèrent sans ménagement à l'abri de la palissade.

Yann fut le seul à voir l'enlèvement de son commandant de compagnie, et réalisa en un éclair ce qui attendait le malheureux. Sans doute une mort ignominieuse après d'abominables tortures. Il avait encore devant les yeux le spectacle atroce des pauvres corps mutilés des Turcos, et les raffinements de cruauté dont savaient faire preuve les pirates chinois.

– A moi la marine !

Le hurlement de Yann parvint à dominer le tumulte. Deux fusiliers-marins y répondirent immédiatement qu'il entraîna rapidement vers la palissade de bambous derrière laquelle avait disparu l'officier.

Deux des Pavillons noirs, dont celui qui avait commandé l'opération, étaient penchés sur le corps inanimé. La foudre leur tomba dessus, et ils s'abattirent la tête fracassée par le lourd coupe-coupe. Les deux autres n'eurent guère plus de temps pour réagir, immédiatement embrochés par les baïonnettes françaises.

Aidé de ses camarades, Yann chargea sur son épaule le corps de l'Enseigne bras et jambes pendants, et se jeta dans la bataille. Les chinois grouillaient maintenant et un cercle menaçant de visages hostiles et de poignards acérés entoura très vite le jeune malouin, alourdi par son précieux fardeau.

Alors, sa lame rouge de sang s'abattit encore et encore, avec une telle fureur démoniaque que les plus acharnés hésitèrent. Les deux fusiliers-marins qui avaient permis de sauver l'officier, avaient succombé sous le nombre. Leurs têtes coupées seraient tout à l'heure accrochées aux bambous de la barricade.

Le corps lacéré par les poignards, Yann frappait toujours. Perdant son sang par vingt blessures, il sentait pourtant ses forces diminuer inexorablement. Le combat surhumain qu'il livrait à cette meute démoniaque était devenu désespéré. Comme une bête blessée, il hurla de douleur et de rage en tournoyant pour protéger le corps inerte qu'il défendait encore.

Un brouillard rouge de sueur, de larmes et de sang l'aveuglait. Un terrible coup de sabre lui entailla profondément l'épaule droite, et le coupe-coupe devint de plomb au bout de son poignet. C'était la fin, il ne reverrait jamais les remparts de Saint-Malo, et le cri sauvage qui sortit de ses poumons en feu était un chant de mort.

Le tonnerre éclata dans ses oreilles. Celui de la salve meurtrière tirée par les hommes de l'infanterie de marine envoyés en renfort. Les casques blancs frappés de l'ancre dorée investirent la place, et les Pavillons noirs rescapés de la fusillade s'enfuirent vers l'intérieur de la citadelle.

La horde grondante qui entourait Yann et se préparait à la curée abandonna sa proie et se replia à toutes jambes. Evanoui, le jeune garçon avait glissé à terre sur le corps de l'officier comme pour le protéger encore des lames d'acier menaçantes.

Ramassés par des coolies annamites et transportés sur des bambous assemblés, le jeune breton et l'officier qu'il avait sauvé furent emmenés vers l'arrière et remis aux brancardiers de l'expédition. L'état de l'Enseigne de vaisseau, vraisemblablement atteint d'une fracture du crâne, lui valut d'être évacué vers Hanoï sur la canonnière "La Trombe" à bord de laquelle avaient pris place les blessés les plus gravement atteints. Yann Bellec dont les blessures étaient nombreuses mais jugées sans réel danger, avait été dirigé sur un campement de l'arrière sur une rive du Fleuve Rouge. Loin des combats dont le bruit ne lui parvenait qu'assourdi.

Durant trois jours, Yann assommé de fatigue avait dormi, n'émergeant d'un sommeil tourmenté que pour s'alimenter. Les soins des infirmiers, mais aussi sa robuste constitution et sa formidable vitalité lui avaient permis de recouvrer une grande partie de ses forces.

Ce matin du 21 décembre, son regard s'attardait rêveusement sur les eaux du Fleuve Rouge. Dans quatre jours, l'infirmier le lui avait dit, ce serait Noël. Mais à 15.000 kilomètres du pays, comment imaginer la neige et la messe de minuit de sa jeunesse. Ses yeux étaient maintenant humides, alors que passaient sur le fleuve millénaire des jonques et des sampans. Où étaient les Noëls de Saint-Malo ? Ceux de l'enfant pauvre et insouciant qui courait sur les grèves. C'était tellement, tellement loin....

En ce petit matin de Juin 1864, le vent soufflait de noroit et les vagues venaient se briser contre le môle, dans l'aigre cri des goélands. Pourtant, la brume légère qui flottait sur la mer, estompant le grand Bé, était annonciatrice d'une belle journée. Le manteau de la nuit la recouvrait encore, mais tout à l'heure la ville s'éveillerait et Saint-Malo redeviendrait une ruche bruissante de vie. Une cité laborieuse où les fabriques, corderies, voileries et chantiers de construction de bateaux entretenaient une fiévreuse activité, presque entièrement tournée vers la mer.

Sous le Bastion de la Hollande tout près de la grève, dans une petite maison faiblement éclairée, une jeune femme était en proie aux douleurs de l'enfantement. A son chevet, une voisine complaisante, dont la corpulence devait autant à un robuste appétit qu'aux onze maternités vaillamment supportées, lui épongeait le front tout en prodiguant les conseils avisés acquis d'une longue expérience.

L'accouchement s'annonçait assez laborieux quoique le bébé se présentât parfaitement, mais ce premier enfant était à l'évidence un solide poupon et le passage était malaisé. Pour autant, le cri qu'il jeta sitôt sorti du ventre maternel, témoignait d'une vitalité prometteuse et de poumons parfaitement constitués.

– C'est un gars ! claironna triomphante la sage-femme improvisée en le présentant à bout de bras à la maman épuisée mais radieuse. Un gros garçon !

C'était assurément un garçon auquel il ne semblait rien manquer, et qui faisait, estima la voisine, pas loin de ses dix livres. Il brailla longtemps, d'une voix tonitruante propre à éveiller les alentours. Mais frictionné, bouchonné, le cordon savamment coupé « afin qu'il eut un beau nombril », et revêtu d'une brassière fatiguée mais propre, l'enfant s'endormit contre le sein de sa mère.

– Il faut te reposer maintenant, ordonna la voisine d'un ton faussement bourru, je t'apporterai de la morue à midi.

– Merci Louise, vous êtes si bonne.

– Ne t'en fais pas ma belle, quand les Terre-neuvas rentreront en septembre, ton homme trouvera un beau petit dans sa maison et il sera fier de toi.

Louise souffla les bougies et referma soigneusement derrière elle. La fraîcheur matinale la saisit et elle serra son châle sur sa poitrine. Elle allait sur ses soixante ans et ses rhumatismes se réveillaient au sortir d'une nuit éprouvante où, Dieu merci, tout s'était heureusement terminé.

Ses sabots résonnaient sur le pavé, mais le jour était maintenant tout à fait levé et la brume s'effilochait déjà. Alors qu'elle atteignait son modeste logis situé au fond d'une cour de la rue de la Charité, le mugissement d'une sirène troubla le silence matinal. Le steamer de la « Southwestern » annonçait majestueusement son entrée dans le port.

*
* *

Dans l'unique pièce pauvrement meublée, Catherine n'en finissait pas de contempler attendrie ce petit être, chaudement blotti contre elle et profondément endormi. Sa pensée vagabondait jusqu'au petit village près de Combourg où s'était écoulée sa propre enfance. Elle se souvenait maintenant avec précision, c'est là que ce petit bonhomme avait été conçu, loin des remparts de Saint Malo.

Le hasard avait voulu qu'un marchand de vins de Saint-Servan, auquel en son temps son mari avait rendu quelques services, proposât à Yvon de l'accompagner aux Angevines de Combourg le premier dimanche de septembre dernier. Il y avait de la place dans la carriole, et Catherine ravie de revoir ses parents et son village avait bondi de joie et convaincu son mari d'accepter.

Les deux jours passés là-bas lui avaient été un vrai bonheur, avec la fête joyeuse dans la grande prairie au pied du château. Le vin leur avait quelque peu tourné la tête, et le soir dans son lit de jeune fille Catherine et Yvon s'étaient aimés comme jamais.

Elle en gardait un souvenir émerveillé, comme d'un soleil dans la brume. Et voilà qu'était arrivé ce matin ce petiot qu'elle serrait contre elle. Catherine ferma les yeux. C'était... C'était encore plus loin, une autre fête, en février celle-là.

Il y avait, elle compta sur ses doigts, sept ans déjà. Comme le temps avait passé... Les yeux fermés, Catherine s'abandonnait à sa rêverie.

C'était la première fois qu'elle assistait à la Sainte-Ouine, cette fête fameuse dont l'origine se perdait dans la nuit des temps et que l'on disait dédiée à Saint-Ouen. Jadis les femmes de marins priaient le Saint pour que le vent soit favorable aux navigateurs, mais avec le temps la cérémonie religieuse était devenue profane. L'assemblée joyeuse drainait des milliers de visiteurs, entre la porte Saint-Vincent et la porte Saint-Louis.

Yann – le frère jumeau de Catherine – avait insisté pour qu'elle vienne à ces festivités traditionnelles. Il avait su trouver les mots pour la convaincre.

– Viens donc, tu verras mon bateau, je te présenterai quelques bons camarades de l'équipage. Et puis, à vingt et un ans tu peux bien te distraire un peu...

Yann en serait cette année à sa troisième campagne à Terre-Neuve, sur la « Belle Etoile » une goélette de Saint-Malo. Tour à tour mousse puis novice, il serait cette fois « avant de doris », le capitaine de pêche le lui avait promis à la fin de la dernière campagne. Et le jeune garçon n'était pas peu fier de cette marque de confiance.

Il avait présenté à sa soeur trois ou quatre de ses compagnons du voilier, des paysans des bords de Rance, endimanchés pour la circonstance et déjà un peu éméchés par les libations répétées dans les tavernes de la rue Jacques Cartier. Comme à l'accoutumée, Catherine avait été d'une grande politesse malgré sa timidité naturelle, et avait salué de bonne grâce ces rustauds en goguette.

– Yvon, je te présente ma soeur jumelle Catherine ! Tu sais, c'est sa première Sainte-Ouine !

Rougissante, la jeune fille serra la main tendue par le grand garçon qui lui faisait face en souriant. Elle leva les yeux vers lui et rencontra ceux, étonnament bleus, d'un homme dans la force de l'âge.

– Yvon est mon meilleur ami à bord, il naviguait au long-cours avant de faire la pêche, expliqua Yann à sa soeur dans le petit café enfumé où ils avaient tous trois trouvé refuge, alors qu'une averse glacée s'abattait sur Saint-Malo.

Fascinée, Catherine écoutait comme dans un rêve ce marin aux si beaux yeux parler d'escales, dans des pays où l'on ne connait pas la pluie, où les fleurs et les oiseaux ont des couleurs éclatantes. Il évoquait aussi les cyclônes des Tropiques, les tempêtes monstrueuses et les abîmes où s'engloutissent les navires.

Yvon parla longtemps et lorsque la pluie ayant cessé ils partirent pour rire et s'amuser, Catherine était encore sous le charme. La fête joyeuse et colorée, les tirs, loteries et carrousels achevèrent de la griser. Quand Yvon vers cinq heures de l'après-midi prit congé des deux jeunes gens qui regagnaient Combourg par la diligence de Rennes, il garda un peu plus que de raison la petite main de la jeune fille dans la sienne. Elle ne la retira pas.

Yvon avait quarante ans, expliqua Yann sur le chemin du retour, et était veuf depuis cinq ans. Seul dans la vie, il prenait pension chez une vieille dame de la rue du Puits-aux-Braies, entre deux campagnes à Terre-Neuve.

Certains Terre-neuvas n'avaient pas manqué de s'interroger sur les raisons qui avaient conduit ce matelot des grands voiliers long-courriers, qui avait couru le monde de Hambourg à Valparaiso, à venir trimer sur les goélettes pourries dans les brumes glacées de Terre-Neuve, et qui avait préféré relâcher à Saint-Pierre et Miquelon plutôt que dans les lagons du Pacifique.

A toutes les questions, Yvon ne répondit jamais que par un sourire. Chacun se fit son opinion, et avec le temps on ne lui demanda plus rien d'autant plus qu'il s'avéra très vite un véritable Terre-neuvas. Gabier hors-pair dans les manoeuvres, il ne rechignait jamais à la rude besogne des doris ou du pont.

Le véritable motif de ce changement de navigation, Catherine ne l'apprit que longtemps après de la bouche même d'Yvon, sans qu'elle lui demandât jamais rien sur un passé qu'elle ne souhaitait même pas connaître, toute à son bonheur présent.

Au cours d'une traversée de Lisbonne à Thio en Nouvelle-Calédonie, par l'Atlantique, l'Equateur, le Cap de Bonne-Espérance, l'Océan Indien et le Cap de Tasmanie, une des passagères n'était pas restée insensible aux yeux bleus du matelot. D'abord sur la réserve, tant en raison de la différence de rang social que des risques encourus, ce dernier avait succombé aux avances répétées de la jeune femme. D'un tempérament de feu elle le retrouvait la nuit pour de rapides étreintes, après s'être silencieusement glissée hors de la cabine où dormait son mari.

Quelques jours avant l'arrivée à Nouméa, un officier de quart les surprit et le matin venu fit son rapport au capitaine. Celui-ci fit appeler le matelot, il lui demanda de jurer de ne jamais dévoiler à quiconque cet épisode nocturne, le mari de l'épouse volage étant l'invité personnel de l'armateur.

Il fut aussi entendu que le matelot coupable quitterait le navire dès son retour à Nantes, et serait à jamais interdit d'engagement sur les rôles de la Compagnie. c'est ainsi qu'Yvon regagna sa ville natale de Saint-Malo, et posa son sac sur un morutier.

Les cales pleines de morues salées, la goélette sur laquelle étaient embarqués Yann et Yvon franchit l'écluse de Saint-Malo aux premiers jours d'octobre. Près de huit mois s'étaient écoulés depuis la Sainte-Ouine, et Catherine qui était venue avec ses parents accueillir et ramener son frère, attendait au moins avec autant d'impatience de retrouver Yvon.

Il lui sembla que ses yeux étaient encore plus bleus que dans ses souvenirs, et lui-même ne cacha pas son émotion de ces retrouvailles. Lorsque le frère et la soeur revinrent à Saint-Malo trois jours plus tard, pour chercher les morues salées et le baril de langues qui constituaient la part de Yann, Yvon était là qui les attendait.

Ils se revirent et se promirent. Sourde aux objections de ses parents sur la différence d'âge, le passé tumultueux et le précédent mariage du prétendant, Catherine clama haut et fort son amour. Forte de sa majorité légale et dotée d'une volonté confinant à l'entêtement, elle arracha leur consentement.

C'est un matin de janvier qu'ils se marièrent en l'église de Combourg. Catherine Lhermitte était maintenant l'épouse d'Yvon Bellec, et le violon du père Fougeray – un Terre-neuvas de Meillac – entraîna joyeusement le cortège de la noce vers le village. Son trousseau était mince et sa dot insignifiante, mais Catherine apportait à son beau marin le trésor de sa virginité et l'éclat de sa jeunesse.

Yvon et Catherine s'installèrent dans cette maison au bord de la grève. La jeune épouse, au bras de celui qu'elle avait choisi, s'amusa follement lorsque revint la Sainte-Ouine. Quelques jours plus tard, à l'heure difficile du départ des Terre-neuvas, elle accompagnait à la fois son mari et son frère jusqu'à l'écluse. Longtemps, longtemps, son mouchoir s'agita alors même que la goélette n'était plus qu'un point sur la mer. Ce fut au cours de cette campagne que Yann disparut. Perdu dans les brumes de Terre-Neuve son doris ne revint jamais, et Catherine durant des années s'habilla de noir.

*

* *

– C'est la « Belle Etoile » ! La « Belle Etoile » arrive !

Le cri joyeux du gamin, essoufflé par la course folle qui l'avait mené des remparts à la grève, eut sur Catherine l'effet d'une musique céleste. Elle se sentit presque défaillir et s'appuya des deux mains sur la table.

– Tu es sûr ? Tu l'as vue de là-haut ?

– C'est le capitaine Blin dans sa longue vue, il dit qu'elle a doublé le fort de la Conchée.

Depuis son mariage, chaque retour de campagne apportait à Catherine la même exaltation, le même bonheur. Les sept mois de séparation lui déchiraient le coeur. Du printemps à la fin de l'été, bien que le travail ne lui manquât pas, il lui semblait que les jours se traînaient misérablement. Et les nuits chaudes de Juillet et Août voyaient la jeune femme se tourner et se retourner, fiévreuse sur son matelas de varech, à la recherche d'un sommeil qui la fuyait. Malade de solitude, elle ne s'endormait qu'aux premières lueurs de l'aube.

Au fil des mois, l'espoir allait grandissant, et l'équinoxe de Septembre pouvait bien souffler sa colère sur la grève puisqu'il annonçait déjà le temps béni des retrouvailles. Alors tous les soleils s'allumeraient dans la petite maison. Nu devant la cheminée, avec la grande bassine fumante d'eau bien chaude, Yvon se débarrasserait d'abord de la crasse, du sel et de la misère accumulés pendant des mois. Sa jeune femme, avec d'inextinguibles fous-rires, lui frotterait le dos avec l'éponge et s'y attarderait, troublée. Alors, à peine sec, il refermerait ses grands bras sur elle pour l'emporter, consentante, vers le lit au fond de la pièce. Elle plongerait son regard dans le lac bleu des yeux de son mari et s'y noierait, éperdument heureuse.

Après, longtemps après, alors qu'elle reposerait apaisée sa tête sur l'épaule de l'homme, elle lui conterait par le menu les mille et un faits qui avaient marqué la vie de Saint-Malo pendant sa longue absence. Petites joies et grandes peines, potins et rumeurs des commères de la Grand'Porte et de la Halle au Blé, colportés jour après jour d'une maison à l'autre. Pépiante tourterelle dont le babil égayait le Terre-neuvas, Catherine passait du coq-à-l'âne et riait en cascade.

A son habitude, Yvon se contentait d'écouter, souriant ou grave sans évoquer jamais son terrible métier. Qu'aurait-il pu dire qu'elle ne sache déjà ? La pêche à la morue dans les eaux glaciales, les mains crevassées mordues par le sel et les hameçons, le travail du poisson sur le pont du navire, debout des heures durant ? La terreur ancestrale qui saisit le marin quand la tempête hurlante fait craquer la mâture, la peur au ventre des dorissiers sur leurs frèles esquifs et la brume permanente qui recouvre d'une chape poisseuse les bateaux et les hommes ? Son frère Yann lui avait déjà raconté tout cela, les soirs d'hiver devant la cheminée là-bas dans son village natal.

Cette fois tout serait différent, puisque lui était venu ce petit être fait de leur chair qui dormait à poings fermés dans le berceau d'osier. Il allait sur ses quatre mois et Catherine s'en émerveillait chaque jour un peu plus. L'enfant ne pleurait pas souvent, têtait sa mère jusqu'à plus soif et la laissait travailler même s'il ne dormait pas.

Dès la naissance du bébé, Catherine avait décidé qu'il porterait le nom du frère tant aimé, disparu depuis six ans déjà.

– Yann, Yann Bellec, ça sonne bien, se disait-elle.

Et puis, c'était sans doute aussi pour que ne meure pas tout à fait ce garçon de vingt-deux ans que la brume avait enveloppé de son suaire. Ce jumeau dont on n'avait pu sonner que plusieurs mois après sa mort le glas des trépassés.

Catherine se pencha sur le berceau et prit tendrement dans ses bras le bébé endormi. Il ne s'éveilla même pas lorsqu'elle l'enroula dans son grand châle pour le protéger de l'air déjà vif. D'un pas agile, son précieux fardeau serré sur sa poitrine, elle se dirigea vers le quai Saint-Louis où tout à l'heure viendrait s'amarrer la goélette.

Tout en marchant, elle se demandait quelle serait la réaction d'Yvon lorsqu'il allait découvrir son petit garçon. Catherine ne doutait pas de sa joie, bien sûr, mais être père à quarante-sept ans dans une région où l'on se mariait très jeune n'était pas habituel.

Au demeurant, qu'importait à Catherine les probables ragots des dames de la Halle ou les sous-entendus de certaines. Celles-là qui, à l'époque, n'avaient pas manqué de faire des gorges chaudes sur les cornes que, selon elles, ne se ferait pas faute de faire porter à un vieux mari une jeune femme esseulée sept mois sur douze.

Yann était leur petit, rien qu'à eux, et sa présence ensoleillait la vie de Catherine. Du même azur que ceux de son père, les yeux de l'enfant fascinaient déjà.

– Ce sont les yeux d'Yvon, il n'y en a pas d'aussi bleus à Saint-Malo, avait affirmé péremptoire la grosse Louise, qui pour avoir mené à bon port l'accouchement de ce petit bonhomme, s'attribuait un peu du mérite de cette heureuse particularité physique.

La foule habituelle des arrivées – femmes de Terre-neuvas avec leur marmaille, représentants de l'Armement, douaniers, policiers, badauds – se pressait sur le quai et les commentaires allaient bon train. Tirée par un petit remorqueur dont la cheminée crachotait une fumée noire, la goélette entrait dans le bassin. Elle portait les stigmates d'une dure campagne dans une mer hachée par les lames, et n'avait pas fière allure. Elle trainait sans doute sous sa coque une forêt d'algues océanes, mais sur le pont comme dans la mâture tous les hommes arboraient un large sourire. C'était sans doute une bonne campagne, et tous les Terre-neuvas embarqués en Mars revenaient au pays.

Yvon fut un des derniers à descendre du bateau. Lestement, il sauta sur le quai après y avoir lancé son sac, cherchant une silhouette familière dans la foule.

– Yvon !

L'appel joyeux de Catherine le remplit de bonheur. L'épouse aimée était venue comme toujours, mais cette fois elle tenait à pleins bras quelque chose qui remuait dans un châle de laine noire. Le marin s'était arrêté, pétrifié.

– C'est ton fils, Yvon. Vois comme il est beau !

Le visage crasseux du Terre-neuvas s'illumina et ses yeux s'embuèrent, lorsque étreint par l'émotion il prit maladroitement son enfant dans ses bras. Nullement apeuré par ce visage inconnu, le petit ouvrit les yeux et son père s'y mira longuement.

– Je l'ai appelé Yann, dit doucement Catherine.

Sans répondre, Yvon l'embrassa tendrement.

– Rentrons chez nous ma Catherine. Nous voilà trois maintenant.

Catherine en était convaincue, 1864 serait une grande année. Au bonheur que lui avait apporté la naissance de son petit Yann, s'ajoutait un événement sans doute moins personnel mais tout de même considérable : l'arrivée du chemin de fer à Saint-Malo. Attendue depuis des années la liaison ferroviaire était, de l'avis général, un élément décisif de modernisation. A tout le moins, estimait la jeune femme, cela lui permettrait d'aller voir plus facilement ses parents. Leur affectueuse présence lui manquait lors des longs mois de solitude.

La campagne de pêche à la morue avait été fructueuse pour Yvon. Blanche et belle, elle était de qualité et tout laissait espérer qu'elle se vendrait bien. La « Belle Etoile » avait eu la chance d'en remplir ses cales, et de bénéficier de vents portants pour son retour à Saint-Malo. Ainsi elle avait été la première à toucher le port, avec un équipage au complet.

Les quelque quatre-vingt bateaux de la flottille avaient connu des fortunes diverses, et deux goélettes avaient disparu corps et biens sans que l'on sache jamais ce qu'il en était advenu. Peut-être avaient-elles été éperonnées par un paquebot, dans la brume épaisse qui stagne presque en permanence sur les bancs glacés. Un de ces géants des mers, monstre d'acier fracassant du soc de son étrave les frêles voiliers à l'ancre. Un choc de fin du monde pour les malheureux pêcheurs, mais dérisoire et pratiquement inaudible là-haut sur la passerelle, sourde aux cris de désespoir et de terreur des Terres-neuvas.

Pudiques autant qu'habitués du malheur, les hommes parlaient peu de ces tragédies. Ils connaissaient la plupart des disparus et pouvaient imaginer leur fin. Jetés à la mer, alourdis par les vêtements de laine et les sabots-bottes, les pêcheurs dont la plupart ne savaient pas nager – mais à quoi cela leur aurait-il servi ? – s'étaient engloutis par soixante mètres de fond. Aux larmes des veuves et aux sanglots des orphelins, aux cris de haine contre le métier maudit, avait succédé comme à l'accoutumée une sorte de résignation faite de fatalisme autant que d'impuissance.

Comme à chaque retour de campagne, Catherine et Yvon avaient vécu pleinement le bonheur des retrouvailles. Comme toujours, la même passion charnelle les avait réunis durant quelques jours en de brûlantes étreintes. Le petit Yann, de son berceau d'osier, les ramenait sur terre chaque fois qu'à son estomac sonnait impérieusement l'heure de la tétée. Alors les amants le prenaient avec eux, s'amusant de ses colères chaque fois que par jeu la maman lui retirait son sein.

*
* *

Yvon et Catherine n'avaient jamais manqué de porter un peu de morue aux parents de la jeune femme, à chaque fin de campagne. Accueillis avec chaleur, ils passaient par habitude deux ou trois jours au village depuis que le frère jumeau de Catherine n'était plus de ce monde. Le père Lhermitte avait dû l'an passé arrêter de travailler à la carrière de granit. Une mauvaise chute sur les rochers, avec les deux jambes brisées, l'avait laissé presque invalide et il ne se déplaçait désormais qu'appuyé sur des béquilles.

La maigre pension allouée permettait tout juste de vivoter, et la maman de Catherine continuait à se louer à la journée dans les fermes des alentours, pour faire bouillir la marmite. Heureusement les trois chèvres donnaient généreusement le lait de leurs pis gonflés, et les oeufs de la basse-cour permettaient de ne pas trop souffrir des temps difficiles.

C'est en chemin de fer que se fit cette fois le voyage vers Combourg, et Catherine s'en émerveilla. Solennelle et bardée de cuivre, surmontée d'une longue cheminée, la locomotive dégoulinante d'huile et empanachée de fumée crachotait sa vapeur, comme un cheval piaffant d'impatience. Ils prirent place dans un des wagons haut perchés, Catherine quelque peu inquiète serrait sur son coeur le bébé endormi alors qu'Yvon, fort d'une expérience précédente, se voulait rassurant. Le train s'ébranla.

Enthousiaste et volubile, Catherine jacassa comme une pie tout au long des trente kilomètres d'un voyage à travers la campagne déjà dénudée. C'est à pied qu'ils firent le trajet de la gare de Combourg au village. Les parents de Catherine accueillirent avec des larmes de joie ce petit-fils qu'ils ne connaissaient pas encore. Ils s'extasièrent autant du bleu de ses yeux que de sa voracité sur le sein maternel, et s'attendrirent lorsque Catherine leur dit avoir donné au petit le prénom du fils péri en mer.

Le lendemain de leur arrivée était un dimanche. Un morceau de chevreau, réservé aux grandes occasions, fut sorti du charnier et fricassé. Le pâté et la saucisse, vestiges du cochon tué à la ferme voisine la semaine précédente, complétèrent fastueusement un repas chaleureux au cours duquel Yvon, habituellement peu expansif, se laissa aller aux confidences, évoquant la solide amitié qui le liait au frère de Catherine et son chagrin à l'heure de sa disparition.

*

* *

Sur le chemin du retour, Catherine toute à son bonheur fit mille projets dont profitèrent largement les voisins de compartiment. Amusés, ils regardaient cette jeune femme épanouie avec un bébé dans les bras et son compagnon déjà âgé mais à la distinction naturelle et aux yeux si bleus. Lorsque le train entra dans la gare de Saint-Malo, la nuit était déjà tombée et les allumeurs de réverbères étaient à l'oeuvre. Les becs de gaz étaient en service depuis l'an dernier dans les rues principales, et pour être parcimonieux ils n'en étaient pas moins appréciés des malouins.

Par la chaussée du Sillon bordée de moulins, ils regagnèrent tranquillement leur maison de la grève. Yann s'était endormi dans les bras de son père, il ne s'éveillerait que bien plus tard. Catherine racontait à son marin tout ce qui s'était passé en son absence, et notamment cette arrivée du chemin de fer à Saint-Malo le vingt-sept juin dernier, une quinzaine de jours après la naissance de leur bébé.

Consciente de la grandeur historique de l'événement, Catherine n'avait pas voulu manquer l'inauguration de la gare de Saint-Malo – Saint-Servan, quoique relevant de couches. La bonne Louise avait elle-même encouragé la jeune maman, et proposé spontanément de garder ce bébé qu'elle considérait presque comme un des siens. Rassurée, Catherine s'était mêlée aux milliers de curieux venus assister aux cérémonies.

Toute la ville était en fête sous un soleil rayonnant. Dans le port, les bateaux arboraient le grand pavois et le vapeur britannique « Atalanta » avait mis en faisceau les pavillons de France et d'Angleterre. Sur la digue insubmersible, les autorités malouines et servannaises se rendaient de la ville close à la gare. Les militaires des garnisons étaient sous les armes, et la foule admirative commentait à mi-voix la magnificence des habits et des uniformes.

Devant la gare se pressait une foule énorme évaluée à 40.000 personnes, difficilement contenue par la troupe et les sapeurs en tenue de sortie. On se montrait le maire de Saint-Malo, M. Rouxin ; celui de Saint-Servan, M. Gouazon ; le comte de Cafarelli, député de l'arrondissement ; M. de Rivière, le sous-préfet et M. Huchet, « grand curé » de la cathédrale, aux côtés de l'amiral Tréhouart. Les langues allaient bon train. On disait qu'étant en froid et ne souhaitant pas se rencontrer, le préfet d'Ille et Vilaine, M. Féart, et l'archevêque du diocèse, Mgr Brossais-Saint-Marc, n'étaient pas venus et leur absence alimentait la rumeur.

La presse locale – « La République » et « Le Vieux Corsaire » – avait publié le somptueux menu qui serait servi le soir lors du banquet officiel. Truites du Rhin sauce genevoise, sanglier à la piémontaise, jambon d'York, galantine de poularde truffée, pâtés de perdreaux, foie gras, filet de boeuf, filets de sole et dindonneaux nouveaux truffés à la peau de goret. Sans parler des entremets et des desserts, des vins de Madère, Bourgogne, Bordeaux et Champagne.

Les traiteurs parisiens Potel et Chabot avaient été retenus par la Compagnie de l'Ouest pour servir les 350 convives dans la Halle du Talard. Il est vrai que le festin atteignait par personne la bagatelle de vingt francs – or, ce qui ne laissait pas d'impressionner les malouins habitués à payer 22 centimes le kilo de pain, 0 franc 80 le kilo de beurre et 5 francs 50 le quintal de pommes de terre.

Yvon ouvrait de grands yeux étonnés en écoutant sa Catherine raconter, gestes à l'appui, le ballet des personnalités et la bénédiction des locomotives. Comme elle, il rit sans retenue lorsqu'elle évoqua les jeux nautiques, les courses et les régates de l'après-midi. Notamment l'excursion au large organisée sur un petit vapeur baptisé « Duguay-Trouin » – et emmenée par l'amiral Tréhouart – tournant au désastre naval, en raison du mal de mer ressenti par des passagers au pied peu marin, penchés sur la rambarde, le coeur au bord des lèvres.

Ce fut un même fou-rire qui les secoua quand Catherine, les larmes aux yeux, raconta que lors de la chasse aux canards dans le bassin, sous les clameurs populaires, un jeune normand sans doute saisi par la fièvre ambiante se dévêtit en un tournemain et – en costume d'Adam – plongea sus aux palmipèdes. L'exploit déchaîna les bravos, mais cueilli par la police à sa sortie de l'eau, le jeune homme une couverture sur les épaules fut emmené au poste. Cité à comparaître quelques jours plus tard, le Tribunal le condamna à seize francs d'amende.

*

* *

Les quelques mois – de novembre à mars – passés à terre entre deux campagnes de pêche étaient pour les Terre-neuvas l'occasion de gagner un peu d'argent, car les avances perçues au départ avaient sérieusement écorné la somme à toucher au retour. Heureux encore lorsqu'il en restait à percevoir, pour peu que la pêche eut été mauvaise. L'arrivée d'une main d'oeuvre – nombreuse sinon qualifiée – apportait un sang neuf à l'industrie locale. Voileries et corderies en occupaient un certain nombre, d'autres allaient sur les chantiers de construction navale.

Apprécié pour son sérieux, Yvon ne manquait jamais d'embauche, car la remise en état des vieilles coques de voiliers à leur retour des bancs occupait nombre d'ouvriers. Installés sur des radeaux solidement amarrés aux flancs des navires, les peintres y dressaient des échelles et des échafaudages.

L'hiver fut assez rigoureux cette année-là. Pour que le bébé ne prenne pas froid, Yvon ramenait chaque jour du port des morceaux de madrier ou des caisses de bois léger, qui faisaient de grandes flambées dans l'âtre. Il avait pu remettre en état un petit poële en fonte jeté à la rue, qu'on alimentait de morceaux de charbon ramassés sur les quais, où les bateaux anglais venaient deux fois par semaine livrer le combustible.

Pour n'être pas d'une piété excessive, Catherine manifestait le plus grand respect pour les choses de la religion. Yvon, qui avait bourlingué sur toutes les mers, et fait escale dans des pays lointains où d'autres croyances étaient l'objet de rituels différents, leur marquait une certaine distance. Pourtant, il ne taquinait jamais sa femme sur ce sujet et ne rechignait pas à l'accompagner, lorsque dans les grandes circonstances elle décidait d'assister à la messe.

Ce fut le cas à Noël. En cette nuit de la Nativité, et contrairement à l'habitude, tous les réverbères étaient allumés. Ce n'est qu'après la messe que s'effectuerait la ronde du spécialiste, sa longue perche sur l'épaule, préposé à l'allumage – et à l'extinction – de l'éclairage public. La messe de minuit dans la cathédrale émut particulièrement Catherine. En une prière silencieuse elle remercia le Ciel de lui avoir donné un aussi bel enfant que celui, en cire, couché dans la crèche mise en place par des mains pieuses. A cette heure Yann ne dormait pas sur la paille mais dans l'osier de son berceau, dans la pièce où le poële diffusait une douce chaleur.

Ils rentrèrent chez eux, serrés l'un contre l'autre. Yann respirait paisiblement et Catherine jetant quelques copeaux dans l'âtre fit jaillir de hautes flammes. Sur la grille, un morceau de morue préalablement dessalée dans l'eau douce durant quelques jours, grésilla bientôt. Des biscuits de mer, fabriqués à Saint-Servan pour les Terres-neuvas, complétèrent un souper de fête qu'ils arrosèrent de cidre de Pleudihen, et qu'Yvon pour son compte ponctua d'un petit verre de rhum blanc venu des Antilles.

Longtemps après l'amour, alors que son mari dormait profondément, Catherine blottie contre lui garda longtemps les yeux ouverts dans le noir. Elle entendait au pied de son lit le souffle léger du bébé, et sourit toute attendrie. Dans son sommeil, Yvon bougea et son bras vint se refermer sur elle, comme pour la protéger. Un immense bonheur l'envahit alors, et elle sut qu'elle n'oublierait jamais – quoiqu'il puisse arriver – cette nuit de Noël.

Yann allait sur ses quatre ans. Superbe enfant aux boucles brunes et aux yeux bleus comme un ciel d'été, il semblait devoir être un fier gaillard. Intrépide dans ses jeux, au risque de se briser les os sur les rochers qu'il escaladait les pieds nus, il faisait parfois frissonner Catherine lorsque échappant à sa surveillance il s'en allait barboter dans les vagues. Irrésistiblement charmeur, il savait déjà se faire pardonner en faisant de ses bras un tendre collier à une maman désarmée.

Depuis plus de trois mois, Yvon avait repris la route des bancs pour sa douzième campagne. La solitude était désormais moins pesante à Catherine, passablement occupée par ce petit garçon adorable et remuant qu'il convenait de ne pas trop quitter de l'oeil.

Le journal qu'elle lisait parfois, après qu'il ait passé de mains en mains, faisait état des difficultés de l'Empire face à la montée du républicanisme. Les expéditions malheureuses d'Italie et du Mexique avaient, semblait-t-il, porté un coup au prestige de l'Empereur et l'avenir s'annonçait incertain. Si les campagnes semblaient devoir rester fidèles à l'ordre établi, les grandes villes affichaient leur conviction républicaine. Catherine ne se sentait pas trop concernée, considérant qu'il s'agissait d'une affaire d'hommes. Elle savait pourtant que l'Empereur était venu à Saint-Malo, dix ans plus tôt croyait-elle.

La mère Lefrançois, l'une de ses voisines, le lui confirma. C'était en 1858 et elle en avait gardé un souvenir ébloui. Sans omettre le moindre détail, elle avait volontiers raconté à Catherine ce qui restait pour elle inoubliable : l'impériale visite du mois d'Août. Saint-Malo était encore une presqu'île à cette époque reliée à la terre par le Sillon, planté de moulins à vent. Venant de Saint-Servan, leurs majestés étaient entrées dans la ville close par la porte de Dinan pavoisée. L'Empereur et Eugénie avaient, place de la Cathédrale, reçu l'hommage du clergé et les réceptions avaient été fabuleuses. Grands bals, fêtes de nuit, feux d'artifice avaient déployé leurs fastes. Il va sans dire que la mère Lefrançois n'avait pas – encore – la fibre républicaine.

*

* *

Le mois de Mai touchait à sa fin et ce midi-là Catherine lavait tant bien que mal son petit chenapan, qui lui échappant une fois de plus était allé se frotter de trop près aux bateaux à sec dans l'avant-port de la chaussée des Corsaires. Les calfats qui bouchaient les interstices des coques avec de l'étoupe en riaient sûrement encore, le gamin s'était enduit de brai – sorte de goudron fondu – destiné à colmater les brèches.

D'abord furieuse, puis finalement amusée par les mimiques et les protestations de l'enfant, Catherine riait maintenant à l'unisson lorsqu'on frappa à la porte.

Laissant Yann assis sur la table, Catherine s'essuya les mains et s'en fut ouvrir. Vêtu d'un costume sombre, l'homme qui se tenait devant elle lui était inconnu. Il tenait à la main une casquette de marin comme en portent les capitaines, avec unc ancre dorée et unc visière de cuir noir.

– Vous êtes madame Bellec ?

– Oui, s'entendit-elle répondre d'une voix étrange qu'elle ne reconnut pas. Avant qu'il ne parle, Catherine sut immédiatement ce qu'il allait lui dire et le sang se retira de son visage.

– Je représente l'Armement, je porte une mauvaise nouvelle. Il est arrivé un accident à votre mari, nous venons de l'apprendre.

Soudain glacée, Catherine ne put qu'ouvrir la bouche. Le cri de bête blessée qu'elle jeta au ciel pétrifia l'envoyé de la Compagnie, qui n'eut pas le réflexe de retenir la jeune femme lorsque lentement elle glissa sur le sol, évanouie.

Ça tenait du mauvais rêve. Catherine marchait, flottait plutôt, dans une brume épaisse d'où montaient des cris et des appels. Elle entendit la voix d'Yvon, la brume se déchira et elle le vit s'enfoncer dans une mer grise et sale, comme elle n'en connaissait pas. Il s'enfonçait lentement et l'eau qui lui emplit la bouche étouffa son cri. Bientôt, il n'y eut plus rien à la surface de cette mer étrange, que des cercles qui allaient s'élargissant. Catherine en compta quatre. Autant que d'années pour leur enfant.

– Yann !!!

Le cri s'étrangla dans sa gorge. Catherine se souleva sur les coudes et regarda autour d'elle. Elle était allongée sur le lit où on l'avait transportée. Trois ou quatre voisines alertées par le commissionnaire l'entouraient compatissantes. L'homme avait disparu, prétextant d'autres familles à prévenir. Il avait laissé une enveloppe sur la table. Catherine se leva d'un bond.

– Mon petit, où est mon petit ?

– A la maison, répondit vivement l'une des femmes, il joue avec les miens et ma grande fille les surveille.

Longtemps Catherine pleura, la tête dans ses mains tremblantes, secouée par les sanglots. Les femmes tentaient maladroitement de la réconforter mais leurs pauvres mots se brisaient sur ce roc de désespérance. L'une d'elles tentait bien d'expliquer qu'elle aussi, quinze ans plus tôt, avait connu la même souffrance, la même détresse avec un mari péri en mer. Catherine, murée dans sa douleur, insensible aux paroles de consolation laissait couler ses larmes.

Elle se leva de la chaise où elle était assise. A la tête du lit, une photographie représentait un groupe de matelots tenant un albatros, les ailes grandes ouvertes. Yvon était au milieu et Catherine ne voyait que lui, sa haute taille et ses yeux clairs. Il lui avait expliqué ces grands oiseaux des mers australes, et raconté qu'ils crevaient les yeux des marins naufragés. C'était pourquoi, disait-il, ceux-ci les tourmentaient lorsqu'ils pouvaient en capturer.

Dans un brouillard de larmes, le visage aimé lui souriait. Cette photographie était la seule qu'elle possédait, elle avait été prise – c'était écrit derrière – sur le « Saint-Vincent-de-Paul », navire de 1026 tonneaux, en Février 1858. A chaque Sainte-Ouine, il y avait des photographes ambulants avec de curieux appareils. Cachés sous leurs voiles noirs, les mains dans des manchons, ils développaient les portraits des amoureux. Comme elle regrettait aujourd'hui d'avoir refusé leurs services.

*

* *

Prévenue par cette rumeur qui colporte plus vite que le vent les drames de la mer dans un pays de marins, la grosse Louise était arrivée aussi rapidement que sa corpulence le lui avait permis. Tout de suite elle s'inquiéta de Yann. Catherine, les yeux rougis, ouvrit l'enveloppe à en-tête de l'Armement. A l'intérieur, une lettre officielle la priant de passer dès que possible aux bureaux de la Compagnie, et un certificat de décès authentifié par le cachet de Saint-Pierre et Miquelon. Il y était porté qu'Yvon Bellec, matelot sur le trois-mâts goélette « Belle Etoile » du quartier de Saint-Malo, était mort noyé le 4 Avril 1868.

– Allons-y tout de suite, dit Louise, je viens avec toi.

Catherine tamponna ses yeux d'un torchon trempé dans le broc d'eau. Elle prit dans l'armoire un fichu noir, souvenir du deuil de son frère, et le jeta sur ses cheveux.

– Si tu veux Catherine je garde ton petit à manger la soupe avec nous, proposa la voisine qui avait recueilli l'enfant.

– On verra ça au retour, souffla Louise entre ses dents.

Chacun rentra chez soi, et la porte refermée, Catherine tenant Louise par le bras prit la direction du quai Napoléon, siège de l'Armement. Elles attendirent un moment dans le grand hall, impressionnées par un luxe inhabituel à leurs yeux, avant d'être reçues par un homme corpulent au teint coloré qui se présenta comme étant un des armateurs.

Mal à l'aise et réprimant difficilement ses larmes, Catherine écoutait l'homme assis derrière un vaste bureau évoquer d'une voix neutre cette tragédie qui la crucifiait. La triste nouvelle, disait-il, avait été apportée par le « Burgundia », un bateau à vapeur chargé d'emmener à Saint-Pierre-et-Miquelon les équipages des nombreuses goélettes basées là-bas, dont le faible tonnage ne permettait pas qu'elles traversent l'Atlantique.

Sur la « Belle-Etoile » la campagne avait débuté très fort, avec des bancs particulièrement poissonneux. Ses cales aux trois-quart pleines, le capitaine avait choisi d'aller débarquer ce chargement inespéré à Saint-Pierre, d'embarquer quelques tonnes de sel et du hareng pour appâter les lignes.

Pris dans une forte tempête peu avant d'arriver au port le navire s'était trouvé désemparé. C'est alors qu'ils serraient la voile d'artimon déchirée par les rafales de vent, qu'un énorme paquet de mer s'était abattu sur l'arrière de la goélette emportant trois hommes. Yvon et deux Terres-neuvas originaires des bords de Rance avaient ainsi disparu, sans qu'il soit humainement possible de faire quoique ce soit pour eux.

L'océan s'était refermé sur ses victimes malgré les recherches entreprises, disait l'armateur. L'homme avait ouvert un tiroir et sorti une enveloppe grise. Il évoquait le « denier à Dieu » avancé quelques jours avant l'embarquement, la Compagnie endeuillée et la campagne de pêche compromise. Il remit l'enveloppe à Catherine en échange d'une signature qu'elle donna machinalement, remerciant encore par habitude. Il se leva pour signifier que l'entretien était terminé, et s'inclina gravement pour saluer les deux femmes.

Ce fut Louise qui se chargea d'ouvrir l'enveloppe, les mains tremblantes de Catherine s'y refusant. A l'intérieur, quelques dizaines de francs et le livret du Terre-neuvas disparu. La langue bien pendue de la Louise stigmatisa tout au long du chemin, ces bourgeois sans entrailles qui gagnaient leur argent en envoyant à la mort de pauvres marins.

*

* *

Les années qui suivirent furent des années bien sombres pour la France, et les gazettes en apportèrent l'écho jusqu'aux plus lointaines provinces. En août 1870, les Prussiens et leurs alliés se comptaient 500.000 sur le Rhin et la charge héroïque de Reichshoffen ne fut qu'un inutile sacrifice. Le désastre de Sedan sonnait le glas de l'Empire et Napoléon III était prisonnier du roi de Prusse. La Commune de Paris, la guerre civile et la répression ajoutèrent au malheur.

A Saint-Malo, l'importation massive de bois du Nord pour la construction navale, de métaux et de houille venus d'Angleterre avait décuplé le trafic du port de commerce. Le marché anglais, quant à lui, s'était ouvert largement aux produits agricoles de la région – pommes de terre, primeurs, céréales, beurre – et de nouveaux bassins en eau profonde facilitaient l'entrée de navires de très fort tonnage. La mer qui jadis avait fait la fortune de Saint-Malo, assurait encore – armement maritime et construction navale – une grande partie de l'emploi de l'ensemble de l'arrondissement.

Au fil du temps, la vie avait repris ses droits pour Catherine bien qu'elle conservât toujours une plaie ouverte au plus profond d'elle-même. Foutu métier que celui de marin, pensait-elle. Son ascendance terrienne l'emportait, chez elle il n'y avait jamais eu que des paysans. Sans doute s'échinaient-ils à faire sortir de terre le blé noir ou l'avoine, brûlés de soleil ou les mains bleuies par le froid, mais eux avaient une vie normale auprès de leurs femmes et de leurs enfants.

Seul son frère avait dérogé à la tradition. Fasciné par la mer découverte à Saint-Malo alors qu'il n'était qu'un enfant, il s'était juré d'être un jour marin. Et la mer l'avait gardé, il y avait déjà bien longtemps, et elle avait pris Yvon comme avant lui son père – matelot sur un baleinier – mort en 1821 dans un naufrage sur les côtes de Patagonie. Il lui les fallait donc tous, comme une garce jamais assouvie.

Catherine sentait bien qu'elle ne serait pas de taille à lutter contre cette maîtresse cruelle, quand le temps en serait venu. Yann avait douze ans et sa mère savait que déjà la fièvre lui brûlait le sang. Celui-là aussi répondrait à l'appel.

Depuis sa plus petite enfance il courait les grèves, embarquant chaque fois qu'il le pouvait sur quelque esquif pourri pour d'aventureuses escapades. Ces bateaux de fortune – vieilles bailles hors d'usage – n'emmenaient jamais très loin du rivage leur équipage de garnements. En général, un bain forcé mettait fin à l'aventure, ce qui était un moindre mal pour des gamins qui nageaient comme des poissons.

On ne descend pas impunément d'un bourlingueur des mers, se disait Catherine un peu effrayée par la passion que marquait l'enfant pour les récits des marins, et sa fascination pour les pays lointains. Les retraités de la marine, ceux qui chauffaient leurs rhumatismes au pied des remparts, n'étaient pas chiches d'histoires. Certains en rajoutaient sans doute un peu dans le pittoresque, mais Yann buvait leurs paroles et les écoutait, fasciné.

L'un d'eux – le père Le Gallic – était son préféré. Celui-là n'avait pas été marin, mais tout comme, puisque soldat dans l'infanterie de marine il avait navigué du nord de l'Afrique jusqu'à l'Extrême-

Orient. Et puis, il racontait comme personne ses aventures et ses combats.

Bouche-bée, l'enfant écoutait religieusement et le vieil homme – par la magie du mot et du verbe – faisait surgir à ses yeux éblouis des paysages fabuleux. En 1847 en Algérie, après de sévères combats avec les tribus en insurrection soulevées par Abd-El-Kader, il avait assisté – d'assez loin tout de même – à la reddition de l'Emir. Le vieux soldat décrivait les chefs arabes barbus drapés dans leur burnous, les képis et les pantalons rouges des généraux français, leurs tuniques noires aux épaulettes d'or, leurs gants blancs et leurs sabres.

Il y avait, disait-il, le général Lamoricière et près de lui le duc d'Aumale, le quatrième fils du roi Louis-Philippe. Il venait d'être nommé gouverneur de l'Algérie.

Jamais, ajoutait Le Gallic, il ne pourrait oublier cette cérémonie dans les plaines de Sidi-Brahim, là où deux ans plus tôt une colonne de chasseurs français s'était héroïquement battue jusqu'à la mort, contre les trois mille cavaliers d'Abd-El-Kader.

Et des rêves de gloire berçaient le gamin qui s'inventait des chevauchées sabre au clair, dans le vent de sable et sous un ciel brûlant. Sur son cheval blanc, il enlevait la princesse du désert – le vieux avait évoqué les femmes voilées qu'il ne fallait pas approcher – poursuivi par des cavaliers en burnous jusqu'à l'oasis où les palmiers faisaient l'ombre douce.

– Yann, Yann, il est temps ! Lève-toi !

La voix de sa mère avait rompu le charme. Juste au moment où la princesse ouvrait les yeux et lui souriait. C'était toujours pareil...

Il en avait vu des choses le père Le Gallic. Un autre pays, beaucoup plus lointain, l'avait envoûté et son coeur, disait-il, y était resté à jamais. Il faisait alors partie du petit corps expéditionnaire qui – en août 1858 – était arrivé en Extrême-Orient. Débarqué dans la baie de Tourane sur la côte d'Annam, il avait vu cette expédition tourner à la catastrophe. Décimés par les fièvres et la dysenterie, harcelés par les annamites, les soldats français avaient dû rembarquer, et Le Gallic avait failli laisser sa peau dans une embuscade sur la rivière des Parfums.

A la fin de cette même année, il faisait partie des troupes placées sous le commandement de l'amiral Rigault de Genouilly en Cochinchine, et en février 1859 il était de ceux qui s'emparaient de Saïgon à l'issue de très durs combats.

– Bon Dieu le beau pays ! Et les congaïs !

L'oeil du vieux brigand s'allumait encore au souvenir de ces femmes-bijoux, poupées fragiles à la peau dorée, soumises et tendres.

Le père Le Gallic évoquait aussi les fumeries d'opium de Cholon, cette ville chinoise proche de

Saïgon et parsemée de canaux. Bien sûr, il avait peu ou prou goûté aux plaisirs interdits, mais seulement en quelques occasions qui l'avaient d'ailleurs laissé insatisfait. Il en savait aussi le danger, un de ses officiers ayant payé de sa vie son asservissement au suc de pavot. Pourtant le rituel magique des pipes de bambou, de la boulette grésillante, et l'ôdeur entêtante de la fumée paradisiaque flottant au-dessus des corps étendus l'avait fasciné.

Il en était revenu bien vite à sa carotte de tabac à chiquer, et racontait au petit Yann éberlué les rizières, les paysans vêtus de noir et les buffles aux larges cornes, que la seule ôdeur des européens rendait agressifs.

– Un jour tu iras là-bas toi aussi, et tu ne t'en déprendras jamais plus, prophétisait le vieux qui disait les pagodes et les brûle-parfums sur les autels de leur Dieu, qui n'était pas le même que celui des chrétiens.

Ces soirs-là derrière les paupières bien closes de l'enfant, afin qu'elles en gardent l'image, défilaient pèle-mêle la plaine des Joncs, les typhons tropicaux de Septembre et les plateaux où vivent les tribus Moï. Dans cette région, avait dit Le Gallic, où les hommes tirent à l'arc et où les femmes ont les seins nus.

La chaleur était étouffante. Sur le pont de la canonnière qui remontait la rivière Claire vers Sôn-Tay, les fusiliers-marins ruisselaient sous leur casque. L'orage menaçait dans le ciel lourd et la pluie bienfaisante était espérée par tous les hommes épuisés de fatigue. Toute la journée ils avaient patrouillé le long des arroyos, cherchant le contact avec un ennemi insaisissable.

Depuis quelques semaines la ville de Sôn-Tay était tombée aux mains des français, qui s'ouvraient ainsi le delta du Fleuve Rouge. De durs combats avaient été nécessaires pour s'emparer l'une après l'autre des défenses fortifiées, et la charge des éléphants de Luu-Vinh-Phuoc, excités et rendus fous par les explosions, avait semé la panique dans les rangs des assaillants.

Il avait fallu une audacieuse manoeuvre de diversion menée par la Légion étrangère, pour faire tomber les positions stratégiques protégées par les canons Krupp des chinois. Prenant la citadelle en enfilade les batteries françaises changèrent la face des choses.

En fin d'après-midi, les canons se turent et le clairon sonna la charge. Alors, les fusiliers-marins se ruèrent à l'assaut et bousculant l'ennemi se rendirent maîtres de la citadelle. Profitant de la nuit complice, le prince Hoang et ses troupes s'étaient repliés vers Hung-Hoa.

Une centaine de Pavillons-noirs sacrifiés avaient pour mission de retarder l'entrée des français dans la ville. Ils se firent tuer jusqu'au dernier lorsqu'au matin sonna l'ultime assaut. Un extraordinaire butin – canons, fusils, munitions, vivres – abandonné par les défenseurs, témoignait de leur retraite précipitée.

Blessé à la bataille de Phu-Sa, Yann Bellec n'avait pu participer au siège de Sôn-Tay. Evacué vers l'arrière, il avait été soigné et réconforté pendant plusieurs jours avant de rejoindre ses camarades. Ceux-ci, avec force détails, lui en contèrent toutes les péripéties. Maîtres de la ville ils n'avaient pas fait de quartier, et le pillage des magasins avait exorcisé leurs terreurs passées.

Des milliers de chinois avaient pu s'échapper à la faveur de l'obscurité. Ils semblaient s'être fondus dans la nature. Ils connaissaient chaque pouce de terrain, et la population – qui ne les aimait guère – serait pourtant à leurs côtés dans la lutte contre l'étranger.

Déliés de leurs accords avec la cour impériale de Hué, ils reprendraient sans doute leurs actes de piraterie, rançonnant et tuant impitoyablement. La région devant être pacifiée, il importait de les chasser au-delà de la frontière ou de les anéantir. Les patrouilles de reconnaissance ratissaient tous les embranchements du Fleuve Rouge.

Crevant les nuages, les premières gouttes de pluie s'écrasaient, tièdes, sur la bâche de grosse toile qui tout au long du jour avait protégé du soleil généreux les fusiliers-marins massés sur le pont de la canonnière. Les bancs de sable, nombreux à cet endroit, obligeaient l'homme de barre à louvoyer, mais la rivière allait heureusement en s'élargissant entre les rives bordées d'arbres et de buissons épais.

Sur tribord, un petit sampan venait à la rencontre du navire. Il était manoeuvré par deux femmes – l'une à l'avant, l'autre à l'arrière – coiffées du traditionnel chapeau conique et munies de longues perches. Elles semblaient avoir fort à faire pour lutter contre les courants. Roulés haut sur les cuisses, leurs pantalons de toile noire dégageaient des jambes au galbe parfait.

Amusés, les hommes suivaient le spectacle avec intérêt. Les sifflements admiratifs et les plaisanteries fusaient du bateau. Pressés le long de la rambarde, les marins se déchaînèrent dans la gaudriole au moment où les deux embarcations allaient se croiser.

Tout se passa très vite. D'un puissant coup de perche la première femme amena le sampan au plus près de la canonnière, alors que celle de l'arrière disparaissait sous l'arceau bâché du petit bateau.

L'explosion fut effroyable. Elle déchiqueta le premier rang de fusiliers-marins et ouvrit une énorme brèche dans la coque de la canonnière, où s'engouffra en bouillonnant l'eau jaune de la rivière. Du sampan pulvérisé et de ses occupants il ne restait rien. Les hurlements de douleur et les cris d'épouvante montaient, alors que la pluie faisait rage balayant le pont rouge de sang.

C'est à sa haute taille que Yann devait de n'avoir pas été haché par l'explosion. Il n'avait pas été le moins virulent à lancer ses quolibets aux deux femmes, mais avait laissé ses camarades plus petits occuper les premiers rangs. Leurs pauvres corps lui avaient fait un rempart, et le jeune breton abasourdi mais indemne regardait incrédule les cadavres qui glissaient à l'eau, alors que la canonnière gîtait de plus en plus.

La panique avait été générale, mais assez vite les officiers avaient réagi et tentaient d'organiser les secours. Encore hébétés, Yann et les fusiliers-marins qui n'avaient pas été touchés s'accrochaient à bâbord et répondant aux ordres parvenaient à détacher un radeau de secours et à le mettre à l'eau.

Durant des heures, martelés par la pluie tropicale, il leur fallut nager en poussant le radeau. Le va-et-vient, entre la rive distante d'une quinzaine de mètres et la canonnière couchée, permit de ramener sur la terre tous les blessés et plusieurs morts, dont certains n'étaient plus qu'une bouillie sanglante.

Très vite, l'émetteur morse avait crépité son appel de détresse et un aviso solidement armé avait immédiatement pris la direction indiquée. Ses puissants projecteurs fouillèrent longtemps l'obscurité, mais la nuit s'était refermée sur la tragédie, et les lieux du drame avaient retrouvé leur sérénité habituelle. Si ce n'est les débris qui flottaient sur les eaux, et la canonnière aux trois-quarts engloutie.

C'est un véritable carnage qu'avaient réussi les pirates chinois. Et il était bien dans leur manière cet abordage tragique d'un sampan bourré de dynamite, guidé par deux pseudo-tonkinoises. Comment les français avaient-ils pu se laisser berner ? Mais ils étaient tombés dans le piège et une vingtaine de jeunes hommes avaient payé de leur vie cet aveuglement.

*

* *

Lors des opérations de sauvetage, Yann avait une fois encore donné toute la mesure de son courage. Il avait été de ceux qui s'étaient dépensés sans compter au service des blessés, mais avait aussi plongé des dizaines de fois dans l'eau boueuse pour ramener à terre des corps ou des membres épars, horribles restes dont la vue soulevait le coeur.

Insensible à la fatigue comme à la douleur, il avait été au bout de ses forces et s'était attiré les compliments admiratifs de ses supérieurs. Ses blessures récoltées à la bataille de Phu-Sa et l'héroïsme dont il avait fait preuve en cette occasion, lui valaient au sein de son unité un incontestable prestige dont il ne tirait d'ailleurs nulle gloriole.

Dans la garnison de Sôn-Tay, la vie s'organisait et des renforts arrivaient régulièrement pour la relève des troupes. Le bataillon de fusiliers-marins auquel appartenait Yann était depuis longtemps en campagne et fut appelé à regagner Hanoï. La veille du départ, au cours d'une cérémonie, des officiers et quelques soldats furent décorés pour leurs faits d'armes.

Sur le front des troupes, le général Millot – nouveau commandant en chef au Tonkin – avait tenu à remettre personnellement leurs décorations à ceux qui s'étaient illustrés au combat. Sur la poitrine du grand Yann rougissant sous son hale, il épingla la médaille militaire après qu'ait été lue la citation élogieuse honorant sa bravoure lors de l'assaut de Phu-Sa et son sauvetage héroïque d'un officier.

De Sôn-Tay à Hanoï par le Fleuve Rouge, il fallut une trentaine d'heures de navigation aux bâtiments chargés de ramener les troupes dans la capitale du Tonkin. Le voyage se passa sans incident mais les guetteurs ouvraient l'oeil et les canons Hotchkiss se tenaient prêts à cracher le feu à la moindre alerte. Depuis cinq mois les fusiliers-marins avaient été à la peine, livrant de rudes batailles et subissant des pertes sévères. Mais, avec la belle insouciance de la jeunesse, ils étaient tout à la joie du retour. Les mauvais moments étaient derrière eux, et ils voulaient vite les oublier dans les bras des filles.

L'ancienne capitale des royaumes tonkinois avait été prise par les français onze ans plus tôt, et la citadelle au coeur de la ville abritait une importante garnison. Cité grouillante de vie avec ses artisans, ses marchands et autres vendeurs des rues, elle offrait aussi aux militaires – pour peu qu'ils aient quelque argent – les plaisirs du jeu et de l'amour.

Yann aima très vite Hanoï, la beauté de ses lacs et de ses pagodes. Des petites rues de Saint-Malo où s'exerçaient certaines professions – rue des Cordiers, rue des Bouchers – il retrouva quelque chose, l'exotisme en plus, avec la rue de la Soie ou la rue des Tailleurs. Des noms donnés par les français à ces ruelles, chacune consacrée à un métier traditionnel.

L'arriéré de solde perçu, lui permit durant un certain temps de mordre à pleines dents dans tout ce qui lui avait manqué depuis des mois. Avec une bande de copains il avait festoyé dès le premier soir et l'alcool de riz – le chum – avait coulé à pleins ruisseaux. Une courte bagarre avec des artilleurs, rapidement stoppée par l'arrivée de la patrouille, avait mis un peu d'ambiance et les marins en bordée avaient mis le cap sur ... le bordel.

Yann gardait un souvenir mitigé de cette première expérience, dans un établissement réservé aux militaires et contrôlé par l'armée. Sa partenaire d'un moment – au demeurant pas laide – n'ayant répondu qu'en partie à ses espérances.

Faisant fi des bagatelles de la porte, et insensible aux tendres caresses que le garçon voulait lui prodiguer, elle lui avait fait comprendre qu'il fallait en venir à l'essentiel. Et très vite.

Yann s'était mis à l'ouvrage mais le coeur n'y était guère, d'autant plus que la fille, loin de répondre à sa fougue, s'était évertuée à chasser les moustiques tout au long d'une chevauchée qu'il avait voulu fantastique.

Conscient d'un nouveau Trafalgar, le marin s'était piteusement rajusté. Emue pourtant par ce grand garçon aux yeux si bleus, elle avait gazouillé avant qu'il ne parte : « Ce soir, y en a beaucoup de monde... reviens me voir .»

Yann avait vaguement promis et était redescendu retrouver ses camarades. Curieusement, aucun d'entre-eux ne faisait le faraud. Depuis, aux amours tarifées des putains à la chaîne, il préférait les filles des villages avoisinants de Gia-Lam ou Bac-Maï. La fraîcheur naïve de ces paysannes des rizières, lui rappelait celle des filles de ferme qu'il lui arrivait de culbuter dans la paille, au temps des moissons autour de Paramé.

Assez rapidement, Yann avait appris quelques mots usuels de cette langue chantante du pays. Il est vrai que sous toutes les latitudes, garçons et filles lorsqu'ils sont jeunes et séduisants savent toujours se comprendre. Le langage des yeux ne trompe jamais et ceux, couleur azur, du jeune breton se passaient d'interprète.

Sans être franchement hostile la population gardait une certaine distance avec les étrangers, jointe à l'habituelle réserve asiatique. Les militaires avaient reçu l'ordre d'éviter tout incident avec les autochtones, aussi les rencontres avec les jeunes tonkinoises se devaient d'être discrètes. Dès la nuit tombée, il ne faisait pas bon sortir hors de la ville et les patrouilles armées n'y faisaient elles-mêmes que de rares incursions. N'avait-on pas retrouvé quelques semaines plus tôt le cadavre poignardé et émasculé d'un légionnaire, sans doute victime d'un rendez-vous galant.

Il en aurait fallu d'autres pour arrêter l'incorrigible trousseur de jupons. Même les mises en garde du second-maître Auffret, un gars de Saint-Malo comme lui, qui connaissait de longue date les dangers du pays, n'avaient pu le dissuader. Yann avait promis à son ancien d'ouvrir l'oeil, mais confiant en sa force physique autant qu'en son étoile il n'en poursuivait pas moins ses escapades amoureuses.

Depuis quelques semaines, il menait une tendre aventure avec une jeune fille rencontrée un dimanche après-midi sur les bords du Petit Lac, où elle se promenait avec une amie. Utilisant les ressources de son vocabulaire local, Yann avait lié conversation avec elles. Les tonkinoises amusées par les plaisanteries et l'accent du garçon avaient souri. Le bleu de ses yeux, son sourire et sa prestance avaient fait le reste.

Il avait obtenu d'accompagner la plus jolie des deux jusqu'aux premières cabanes de son village, et à force de persuasion lui avait fait promettre de se revoir le dimanche suivant. Depuis lors ils se rencontraient régulièrement. Timide, elle ne lui accordait que quelques baisers à la dérobée mais Yann résolument épris entendait bien pousser son avantage. Ils se promenaient main dans la main dans la ville bruissante et encombrée, et elle lui faisait découvrir les mille métiers de la rue, les boutiques et les échoppes des commerçants chinois.

Avec elle, il apprit à apprécier cette soupe brûlante de vermicelle et de viande, sur les éventaires des petits marchands. Elle lui enseigna à la déguster avec des baguettes, ponctuant de fous-rires ses précieux conseils. Yann n'en fut pas moins consterné, lorsqu'il sut que la viande un peu ferme qu'il avait prise pour du boeuf était du chien, et que cette sauce brune qui l'arrosait – le nuoc-mam – était du jus de poisson pourri.

La jeune fille, sans doute consciente de certains regard haineux, avait fait jurer au marin qu'il ne franchirait jamais les limites du village où elle vivait avec ses parents. Leurs rendez-vous secrets avaient lieu aux alentours d'une petite pagode. Elle ne retrouvait Yann qu'après avoir déposé sur l'autel l'offrande rituelle de nourriture.

La nuit sous les tropiques tombe brutalement, presque sans transition, et lorsque ce samedi soir Yann était venu voir sa tendre amie, une sorte de clair-obscur baignait la pagode. Elle était déjà là, sa tunique blanche flottait au vent léger. Yann activa le pas.

Ce qu'il vit le pétrifia d'horreur. La jeune fille avait été clouée par les mains à la porte de la pagode. Un rayon de lune éclairait son visage. Les chairs de la malheureuse avaient été tailladées à vif et ses bourreaux avaient essuyé leurs lames dans ses longs cheveux noirs, après l'avoir couverte de sang et de crachats.

Un sanglot se brisa dans la gorge de Yann, l'ombre tout à l'heure propice lui semblait peuplée de masques grimaçants, et là-bas vers le village de la jeune fille torturée il crut entendre les coups sourds d'un gong. Alors, en proie à la terreur, il courut comme jamais encore jusqu'à la citadelle.

Yann ne parla jamais à ses camarades de cette soirée d'épouvante, mais garda longtemps en mémoire le souvenir du visage lacéré de la tonkinoise. Celle qui avait payé de sa vie son amour coupable pour un bel étranger aux yeux bleus.

*

* *

– Bellec, tu te présenteras à quatre heures aux bureaux de la compagnie !

A l'heure dite, Yann frappait à la porte du bâtiment de briques rouges où siégeait l'Etat-Major. Vaguement inquiet, il se demandait si l'écho de ses virées nocturnes était parvenu jusqu'ici. Qu'un simple fusilier-marin – fut-il décoré de la médaille militaire – soit convoqué chez le commandant de son unité ne laissait présager rien de bon.

Un planton en armes conduisit Yann à travers les couloirs. Il frappa à une porte, et s'effaça pour le laisser entrer dans une vaste pièce décorée de fanions, d'éventails et d'armes blanches. Des cartes d'Extrême-Orient marquées au crayon rouge tapissaient les murs. Deux officiers étaient assis dans des fauteuils de rotin, ils se levèrent et vinrent à la rencontre du jeune homme après qu'il ait rectifié la position et se soit présenté. Leur sourire rassura quelque peu le fusilier-marin.

– Bonjour Bellec ! Je suis le Capitaine de corvette Martial, c'est moi qui commande votre bataillon.

Presque machinalement, et sans quitter le garde-à-vous dans lequel il s'était figé dès son entrée, Yann s'inclina.

– Je voudrais vous présenter l'Enseigne de vaisseau de Valclouet qui nous revient de convalescence, et qui reprend le commandement de sa compagnie.

Presque aussi grand que Yann, plus mince aussi, celui-ci tendit la main et serra chaleureusement celle du fusilier-marin. Sa moustache était blonde et ses yeux très clairs. Yann le reconnut et son visage s'éclaira. C'était l'officier qu'il avait réussi à sauver des griffes des Pavillons-noirs à la bataille de Phu-Sa.

– Je vous dois d'être encore en vie, Bellec, et je suis heureux de pouvoir vous remercier aujourd'hui. Le commandant Martial m'a permis de le faire ici en sa présence, mais je souhaiterais vous en entretenir plus longuement. Nous nous reverrons bientôt. Merci encore de votre dévouement et de votre courage.

– Je n'ai fait que mon devoir, Lieutenant, bredouilla le malouin presque aussi rouge que le pompon de son béret.

L'Enseigne de vaisseau serra encore longuement la main de Yann qui, après avoir salué, effectua un demi-tour réglementaire et regagna sa chambrée. Heureux et fier de cette entrevue à laquelle il était bien loin de s'attendre.

*

* *

Yann fêta joyeusement ses vingt ans ce mois de juin 1884, et plutôt deux fois qu'une. Avec ses plus proches camarades d'abord, une sorte de tournée des grands ducs d'une taverne à l'autre terminée de façon classique au bordel militaire. Il y enregistra son second fiasco, dû cette fois à l'alcool de riz, en dépit d'une partenaire aussi consciencieuse que compréhensive.

Quelques jours plus tard, c'est dans une paillote transformée en club réservé aux officiers que le nouveau quartier-maître de première classe Yann Bellec célébrait son anniversaire. A la table de l'Enseigne de vaisseau Hubert de Valclouet, qui avait convié à dîner celui qui l'avait sauvé de la mort.

D'abord intimidé, le jeune breton s'était peu à peu détendu, encouragé par la simplicité non affectée de l'officier. Hubert de Valclouet n'avait que vingt-six ans. En dépit de ce qui les séparait, il éprouva une vive sympathie pour le garçon intelligent et à l'esprit délié qui lui faisait face. Conquis par l'extrême gentillesse de son supérieur Yann se confia à lui, contant son enfance sur les grèves de Saint-Malo à un interlocuteur attentif et intéressé.

L'officier raconta aussi simplement sa propre jeunesse en Touraine, berceau de sa famille. Il évoqua sa carrière et l'école navale. Son père et son grand-père avaient été officiers de cavalerie, il avait choisi d'être marin, rompant la tradition.

Yann l'écoutait avec une grande attention. Ils rirent ensemble des mêmes histoires, et à la fin d'une soirée qui se prolongea fort avant dans la nuit, l'aristocrate et le plébéien trinquèrent à leur amitié naissante. Pour la première fois de sa vie, Yann but du champagne. Il aima ce vin doré et lorsqu'à la demande de son compagnon, il dut former un voeu, il souhaita très fort d'en boire un jour sur les remparts de Saint-Malo.

Sous le chaud soleil de Juillet, Saint-Malo semble assoupie en cet après-midi de dimanche. Les chantiers, les usines et les fabriques ont cessé leur activité et sans ses bruits familiers, ses cris et ses odeurs, la ville semble différente. Du haut du Grand Bé, cet énorme tumulus que la mer isole à marée haute, Yann contemple la cité corsetée de remparts.

Depuis toujours il aime ce Grand Bé, observatoire idéal pour un gamin au sang enfiévré par la mer. Yann a tout juste quinze ans, mais il lui est déjà arrivé de passer la nuit sur cet îlot propice à tous les rêves d'aventure. Pour gagner les quelques sous, enjeu du pari avec d'autres garnements, bien-sûr, mais aussi par défi. Pour se prouver qu'il n'a peur ni des ténèbres ni des vagues, dont l'explosion sur les rochers est pourtant terrifiante dans le silence nocturne. A t-on peur lorsqu'on est natif d'une ville qui fut nid de corsaires ? Du plus grand, Duguay-Trouin, jusqu'au dernier en date, Surcouf, l'effroi des anglais.

Qu'une tombe sans inscription, entourée d'une grille, soit creusée là sur la pointe occidentale n'impressionne pas le garçon. Le Père Tellier, qui sait tout de Saint-Malo, lui a souvent raconté l'inhumation du grand écrivain – Chateaubriand – qui repose ici, bercé par le seul bruit des vagues. C'était en juillet 1848 au son des marches funèbres, et la garde Nationale rendait les honneurs.

Allongé dans les hautes herbes caressées par la brise, Yann s'emplit les yeux du spectacle dominical, désormais habituel sur cette plage de Bon-Secours – sa plage – idéalement aspectée au Sud. Il sourit en regardant les cabines roulantes traînées par des chevaux jusqu'à l'extrême bord de la mer. Des baigneuses en descendent, vêtues de longs maillots à rayures vives et coiffées de bonnets. Elles sont venues de Paris ou de Rennes, amenées par des trains de plaisir spécialement affrétés.

Yann s'amuse de leurs cris aigus lorsqu'elles s'enquièrent, d'un doigt de pied craintif, de la température de l'eau. Il apprécie particulièrement leur sortie de l'onde, alors que le maillot épouse des formes troublantes. Que n'a t-il la longue-vue du capitaine Blin ! Habitué à plonger dans les vagues, vêtu d'un simple caleçon, le garçon s'étonne aussi du cérémonial qui accompagne la baignade de ces citadins.

Cette mode des bains de mer a d'ailleurs de bons côtés, et chacun ici semble y trouver son compte. Autour de la gare de chemin de fer, se construisent des hôtels, des entrepôts et des magasins, et sur le Sillon s'élèvent de superbes villas remplaçant les moulins à vent de son enfance. A proximité des plages, des établissements proposent des bains chauds, et le Casino reconstruit en 1867 offre des spectacles d'opérette, des concerts et des représentations théâtrales. C'est du moins ce qu'on affirme, car Yann n'y a jamais mis les pieds.

Désormais, une ligne Southampton-Saint-Malo et une autre au départ de Jersey amènent des visiteurs anglais toujours plus nombreux. Il est vrai, se disent les malouins goguenards, qu'au long des siècles ils n'ont jamais pu entrer dans la ville, et ce ne fut pourtant pas faute d'essayer.

Aujourd'hui, ils débarquent pacifiquement mais lorsqu'ils se promènent sur les remparts, de vieux marins leur tournent ostensiblement le dos. D'autres vont même jusqu'à cracher lorsqu'ils sont passés, ultime et dérisoire revanche sur les vainqueurs de Trafalgar.

Comme le ferait un chat, Yann s'étire au soleil et fait jouer ses muscles dans la chaleur estivale. Il a fermé les yeux et serré très fort ses paupières dans une sorte de jeu qui lui est familier. Alors, presque à la demande, dans un éblouissement de lumière et de paillettes d'or, il voit se dessiner des visages et se profiler des silhouettes. Voici Catherine, sa mère, avec son doux sourire, ses quarante trois ans et ses beaux yeux verts maintenant délavés par l'eau salée des larmes. Cette silhouette haute et mince, ce sourire moqueur et ces prunelles couleur de bleuets, c'est son père qu'il a si peu connu. Yann n'avait que quatre ans lorsqu'il est mort et n'en a gardé nul souvenir. Mais sa maman lui en a tant et tant parlé, qu'il peut le voir devant lui pourvu qu'il y pense très fort derrière ses paupières closes.

Yann émerge du bienheureux engourdissement où l'a plongé sa rêverie. D'instinct il sait, il sent que la mer a monté et qu'il lui faut partir, quitter l'îlot rocheux et aborder au rivage de sable blond. Il va rentrer tôt ce dimanche, il en a fait promesse à sa mère. Heureuse, elle prendra le bras de ce beau garçon qui est son fils, et ils se promèneront comme deux amoureux en balade.

*

* *

Jusqu'à ses treize ans, Yann n'avait fréquenté l'école que de loin en loin. Depuis son veuvage, sa mère avait assuré vaille que vaille leur subsistance à force de travaux pénibles, de ménages en lessives et de repassages en couture. Il fallait bien l'aider et l'enfant courageux et débrouillard qu'il était devenu s'y employait de bon coeur. Pourtant, sa soif d'apprendre ne s'était jamais démentie et chaque occasion lui était bonne d'une leçon de choses. Il est vrai qu'à la rigueur de l'étude, au magistère du collège, il préférait l'apprentissage sur le vif. Son intelligence très vive et une mémoire fidèle lui avaient permis d'engranger – en vrac – une somme de connaissances.

Grâce au Père Tellier, le vieux prêtre qui depuis des décennies portait la même soutane usée jusqu'à la corde, il avait très vite appris à lire et se délectait depuis de tout ce qui lui tombait sous la main. Si le calcul le rebutait quelque peu, il n'en suivait pas moins avec attention les leçons que lui donnait parfois le capitaine Blin. Le vieux marin arpentait chaque jour les remparts et sa silhouette était familière à tous les gens de Saint-Malo. Sa casquette avait sans doute affronté tous les embruns, de Hambourg à Valparaiso, mais ses yeux qui avaient tant contemplé la mer étaient aussi perçants qu'en sa belle jeunesse. Le navire repéré dans sa longue-vue était immédiatement reconnu et identifié, et personne ne se souvenait de l'avoir vu pris en défaut sur un gréement ou un pavillon.

Dans le vaste appartement de la rue de Dinan décoré d'objets de marine et d'instruments de navigation, de bateaux en bouteilles et de souvenirs glanés sur les sept mers, Yann était venu souvent à l'invitation du capitaine qu'amusait ce petit bonhomme déluré, aussi gentil que serviable et si curieux des choses de la mer. Le vieil homme expliquait au gamin fasciné le sextant et la boussole, le mécanisme des marées ou la position des étoiles dans le ciel.

Celui-là n'avait pas dépassé les frontières du département et son propos ne se teintait guère d'exotisme, mais le Père Tellier était regardé comme la mémoire vivante de Saint-Malo. De temps immémorial, il en battait le pavé et son érudition était sans faille sur les heurs et malheurs de la vieille cité. A sa sortie du Grand Séminaire de Rennes, il était arrivé ici jeune prêtre chargé d'aider au service de la Cathédrale. Il avait ensuite enseigné le latin et le français au collège privé, avant de se plonger avec délices dans l'histoire d'une ville qu'il jugeait fascinante. Les pauvres gens n'eurent jamais meilleur défenseur, mais il était pareillement apprécié des bourgeois du quartier de la Californie, où les hautaines demeures se dressent face à la mer.

Lui aussi conquis par ce jeune garçon attachant avait ressorti un vieil abécédaire pour l'initier à la lecture. Avide de savoir, l'enfant avait progressé rapidement. Alors, le Père Tellier avait depuis entretenu cette fringale de lecture en lui prêtant livres et journaux. A tel point qu'à l'instar des fils de famille éduqués chez eux par un précepteur, le petit Yann avait bénéficié d'un enseignement aussi particulier que bénévole.

Le prêtre lui avait appris la fabuleuse histoire d'une ville qui, de Jacques Cartier à Surcouf en passant par Duguay-Trouin, Chateaubriand, Lamennais, Maupertuis, Broussais et quelques autres, avait vu naître sur son territoire exigu plus d'hommes illustres qu'aucune autre ville de même importance. Le Père Tellier estimant quant à lui que l'insularité de la cité et sa résistance au long des siècles contre les assauts de la mer et de l'ennemi, avaient pu forger des hommes de cette trempe. Yann ne demandait qu'à en être convaincu, et s'endormait sur des rêves d'épopée où – foin d'anachronisme – les indiens Hurons de Jacques Cartier combattaient au sabre d'abordage sous le pavillon corsaire du grand Surcouf.

S'y ajoutaient pour faire bonne mesure les récits fantastiques des campagnes africaines et orientales du père Le Gallic, dont le langage certes assez peu académique mais fortement imagé ravissait le jeune garçon. D'embruns et d'opium, d'amours et de combats, ils l'emmenaient bien loin des remparts de Saint-Malo.

*

* *

– Yann ! Je vais au maquereau, tu viens ?

Le pêcheur n'avait nul besoin de répéter la question, le garçon avait déjà sauté dans la barque au risque de la faire chavirer et empoignait les avirons. La scène se renouvelait fréquemment le matin, lorsqu'il traînait sur la cale de Dinan. Qu'il s'agisse de relever les casiers où l'on prenait au piège les araignées de mer aux longues pattes velues, d'aider à lancer les filets ou à remonter les lignes, Yann était partant et on appréciait autant sa bonne humeur que ses bras solides.

Cela ne se passait pas toujours bien, et le garçon gardait un assez mauvais souvenir d'une sortie qui avait failli très mal tourner. C'était en automne, une mer assez grosse avait retenu à quai la plupart des pêcheurs et la bateaux étaient restés à l'amarre. Deux marins pourtant – courageux ou inconscients – avaient décidé de sortir, et Yann n'hésita pas une seconde à les accompagner.

Un grain menaçait et le ciel noircit rapidement, jusqu'au moment où les nuages crevèrent et où une pluie rageuse s'abattit. Les trois homme pêchaient depuis près d'une heure mais le poisson ne donnait guère. C'est en remontant le filet avec ses deux compagnons que Yann, penché sur le plat-bord et déséquilibré, tomba à la mer et disparut à leurs regards.

Pendant de longues minutes, le bateau balloté par les lames tourna vainement. Les deux pêcheurs n'étaient pas très fiers en rentrant au port, et leurs collègues leur firent savoir plutôt vertement ce qu'ils pensaient d'eux. On fit donner la sirène d'alarme et la chaloupe de sauvetage de Saint-Servan prit la mer.

Elle tourna longtemps, ratissant la zone sans rien voir sur une mer agitée qui se creusait de plus en plus.

Les sauveteurs décidèrent alors d'élargir le champ de leurs recherches, et soudain l'un deux aperçut à la jumelle une silhouette sur l'île de Cézembre habituellement déserte en cette saison. C'était Yann qui avait abordé l'île après avoir nagé sur plus d'un mille dans une mer houleuse. Il avait dû lutter contre les courants qui l'entraînaient au large, mais son exceptionnelle vitalité, ses muscles d'athlète et ses talents de nageur lui avaient permis de tenir bon. Il ne s'enrhuma même pas, mais sa mère avait cru devenir folle de chagrin tout au long des recherches. Elle lui fit promettre de ne plus jamais embarquer aussi inconsidérément. Avec le temps, Yann oublia quelque peu sa promesse.

En dehors de la pêche et de ses aléas, des cours magistraux du Père Tellier ou du capitaine Blin et des récits flamboyants du vieux Le Gallic, il importait aussi d'aller gagner son pain. Quelques poissons ou crustacés récoltés ça et là ne pouvaient suffire à assurer le quotidien d'un grand gaillard doté d'un solide appétit. Sa mère se contentait de peu et faisait de rudes journées, mais l'argent manquait souvent à la maison et Yann avait commencé à travailler dès ses douze ans, sans jamais rechigner à la tâche.

Pas vraiment instable mais assez remuant, toujours prêt à tenter quelque chose de nouveau susceptible de casser cette routine qu'il refusait, il était passé de la construction navale à la fabrication des biscuits et de la corderie aux fours à chaux. La voilerie avait quelque peu retenu son attention, mais aux usines et aux ateliers il préférait grandement l'air vivifiant. Ainsi le temps venu, il trouvait facilement à s'employer chez les primeuristes dont l'essentiel de la production – pommes de terre et choux-fleurs – partait vers l'Angleterre. Et la campagne paraméenne avait bien des attraits pour un garçon de son âge. C'est là qu'il avait fait ses premières armes dans la nature, et la saison printanière coïncidait désormais pour lui avec celle des amours.

Peu à peu Yann avait pris conscience de son pouvoir de séduction, sans pour autant en avoir la tête tournée. Il y gagna seulement un peu plus d'assurance, une certaine timidité héritée de sa mère l'ayant longtemps paralysé dans ses rapports avec le beau sexe. Désormais ses dix-huit ans, son mètre quatre-vingt-huit et le bleu de ses yeux attiraient irrésistiblement les regards féminins. Aux jeunes campagnardes qui avec leurs ânes venaient livrer à Saint-Malo le lait de la ferme, succédèrent d'autres filles petites ouvrières des fabriques ou domestiques des beaux quartiers. Aucune ne retenait Yann très longtemps, son besoin de nouveauté s'exprimant aussi dans ce domaine, mais sa gentillesse innée et le respect qu'il manifestait toujours envers une femme

– l'eusse t-il culbutée sur un rouleau de cordages ou sous une porte cochère – n'entraînait jamais de rupture tumultueuse. Un baiser tendre, presque fraternel, séchait les larmes de l'amie et chacun partait vers son destin.

Coeur volage, Yann était résolument fidèle en amitié et ses copains savaient pouvoir compter sur lui en toute occasion. Ils étaient nombreux à Saint-Malo, on est toujours heureux d'avoir pour ami un garçon aussi costaud dans les bagarres, que franc buveur et gai luron. Avec lui, on savait que les soirées dans les cabarets de la rue de la Soif seraient pimentées comme on était sûr que l'élément féminin ne ferait pas défaut.

Les « carabots » de la Grand'Porte, un peu voyous un peu souteneurs, qui traînaient leur oisiveté sur les quais ne s'y frottaient pas trop. Deux d'entre eux dont les protégées avaient fait comprendre au grand Yann que leurs services seraient gratuits lorsque l'envie lui en prendrait, l'avaient provoqué un soir sur le chemin de sa maison. L'idée n'était pas bonne car Yann, d'abord rigolard et peu disposé à se colleter avec les messieurs de ces dames, devint franchement teigneux lorsqu'ils sortirent leurs couteaux, et le coup de pied qu'il décocha au premier fut absolument fulgurant. Atteint dans ses oeuvres vives, l'agresseur s'effondra en beuglant et se plia en deux sur le pavé, souffle coupé.

Le temps d'arrêt que marqua le second lui fut fatal, et le poing de Yann propulsé par soixante-dix kilos de muscles s'écrasa sur son visage tel un marteau-pilon. Le nez fracturé pissant le sang, les lèvres tuméfiées et deux dents brisées, celui-là n'était pas près de séduire les filles. Yann ne put s'empêcher de sourire à cette idée et continua son chemin. Ramassés par les agents de ville et soignés à l'Hôtel-Dieu, les deux hommes affirmèrent avoir été attaqués par un groupe de marins anglais en escale au port. Depuis, ils se tenaient à distance respectueuse lorsqu'il leur arrivait de croiser Yann dans les ruelles de Saint-Malo.

*

* *

Le temps était revenu des beaux jours après un hiver si rigoureux que la Rance – ce grand fleuve qui se jette dans la Manche – avait été prise par les glaces. Yann allait sur ses dix-neuf ans. Pour la première fois il avait décidé de ne pas aller travailler dans les fermes de Paramé, renonçant ainsi aux amours printanières qu'il chérissait pourtant. Longtemps réfrénée, l'envie de partir sous d'autres cieux vers des pays inconnus s'imposait irrésistible maintenant qu'il avait l'âge requis pour s'engager dans la marine. Evoquant les dangers encourus par un garçon encore bien jeune, Catherine avait essayé de l'en dissuader, mais presque sans conviction comme si ce départ était depuis toujours écrit dans son destin. Quoiqu'elle puisse faire.

Une liaison quelque peu tumultueuse avec l'épouse d'un notable de la ville précipita les choses. Ayant rencontré Yann chez le capitaine Blin, la dame avait été séduite par le charme juvénile du garçon. Elle l'avait convié à venir la voir à son domicile où, disait-elle, des livres et des revues maritimes s'entassaient dans un grenier. Intéressé, mais pas vraiment dupe, Yann s'était rendu à l'invitation au jour convenu. Par un hasard heureux les domestiques avaient dû s'absenter, alors que le mari était à Nantes pour affaires. Le garçon ne sut jamais quels trésors dormaient au grenier, sa visite s'étant terminée dans la chambre à coucher.

Yann, d'abord subjugué par le luxe des meubles et la richesse des tapisseries, ne s'en montra pas moins à la hauteur. Sa partenaire était jeune et plutôt jolie, et ils se quittèrent enchantés l'un de l'autre. L'intrigue dura le temps de quelques rencontres furtives, mais la dame de plus en plus éprise voulait davantage et prenait de grands risques pour retrouver son bel amant. Peut-être averti par des âmes charitables, le mari surveilla les sorties de son épouse et s'absenta moins.

Après avoir épuisé toutes les ruses, et plus que jamais amoureuse, elle n'envisagea rien moins que de quitter son foyer pour vivre avec Yann. Celui-ci n'en demandait pas tant, il évoqua tout ce qui les séparait et même sa propre frivolité qui le faisait papillonner d'un coeur à l'autre. Rien n'y fit, sourde à tous les arguments, l'amante passionnée n'en démordait pas. Il fallait donc trouver le salut dans la fuite et quitter Saint-Malo.

Avec la franchise qui avait toujours marqué leurs rapports, Yann raconta sa liaison à sa mère. Pour que ne soit pas brisé un foyer, avec tout ce qui en découlerait, il devait partir très vite. Catherine fut sensible à cette loyauté et donna son accord. Elle ne put s'empêcher de penser que le père de Yann, lui aussi, avait dû à cause d'une femme quitter les long-courriers des mers chaudes, pour les brumes glacées de l'Atlantique-Nord qui l'avaient gardé à jamais. Elle frissonna à cette idée.

Inscrit maritime du quartier de Saint-Malo, Yann après avoir signé son engagement de cinq ans allait être dirigé sur Brest où se ferait sa formation. Catherine accompagna son fils à la gare. Elle retint ses larmes autant qu'il lui fut possible lorsqu'il monta dans le train, lesté d'une valise en bois dans laquelle elle avait mis quelques douceurs, beurre et chocolat. Plus ému qu'il ne voulait le paraître, Yann serra très fort sa mère dans ses bras puissants sur les marches du wagon où elle était montée pour un ultime baiser. Longtemps, elle resta sur le quai la gorge nouée avant de reprendre le chemin de sa maison. Une demeure où ne résonnerait plus le rire éclatant de ce fils qui était toute sa vie. Elle eut tout de même un sourire en pensant à tous les beaux yeux qui allaient pleurer à Saint-Malo.

Ses classes terminées à Brest, Yann fut envoyé à Toulon pour être formé dans le corps des fusiliers-marins. Le soleil de la Méditerranée et le bleu de la mer l'enchantèrent, comme l'accent des brunes provençales qui, les jours de sorties, se bousculaient un peu pour toucher le pompon rouge du jeune homme, « porte-bonheur », disaient-elles en pouffant. Au terme d'un entraînement intensif Yann embarqua sur un grand voilier à moteur avec quelque deux-mille soldats de toutes armes. Direction, l'Extrême-Orient.

Le 26 septembre 1883, après pas loin de deux mois de navigation, le transport de troupes mouillait au Cap Saint-Jacques à l'embouchure de la rivière de Saïgon. Deux bataillons d'infanterie coloniale débarquèrent, et les hommes prirent place dans des jonques à moteur escortées d'un aviso. Ceux-là allaient renforcer la garnison de Saïgon. Après avoir ravitaillé en charbon et embarqué des vivres, le bateau mit le cap sur le golfe du Tonkin. Sur les flots de la mer de Chine, il fallut près de dix jours en passant au large de Nha-trang, Tourane et Hué pour remonter la côte d'Annam et arriver enfin à Haïphong. Yann mit pied à terre sur ce continent asiatique où l'attendaient – il n'en doutait pas – de merveilleuses aventures.

Allongé sur les coussins qui garnissent son bat-flanc, Yann regarde fasciné un margouillat agrippé à une poutre du plafond de la fumerie. A travers la peau translucide du ventre de l'animal, il peut voir distinctement les moustiques avalés par le petit lézard. Etranges animaux d'un étrange pays, se dit-il, comme ce serpent-minute qui se laisse parfois tomber sur vous, venu d'un bananier à la rouge fleur. Comme est étrange aussi cette fumée noire et apaisante qui flotte en volutes légers, née de la mélasse brune obtenue après la cuisson du suc des pavots incisés. Dans cette fumerie chic de Hanoï, réservée aux commerçants chinois et aux fonctionnaires blancs, l'opium vient directement des tribus montagnardes, les Méos de la Rivière Noire, et les pipes sont d'ivoire. Sur le bat-flanc contigu repose Hubert de Valclouet, ses yeux sont fermés mais ses lèvres sourient. S'est-il transporté par la fumée magique vers sa Touraine, vers les coteaux d'Amboise chargés de toute la spiritualité du vin ? Yann sourit à son tour, il n'a fumé qu'une seule pipe. Dans une langueur bienfaisante, il se sent extraordinairement lucide et repousse la seconde pipe proposée par la jeune chinoise accroupie sur une natte.

C'est une belle amitié que partagent maintenant l'officier aristocrate descendant d'une lignée prestigieuse, et le fils du Terre-neuvas de Saint-Malo. Entre-eux elle est née presque spontanément, scellée par le sang répandu dans une même bataille. Amitié précieuse et sans équivoque de deux hommes sans doute dissemblables mais que rapprochent des valeurs communes de bravoure et de loyauté. Amitié qui doit aussi rester secrète dans un milieu où l'on ne fréquente que les gens de même race, et de même grade. Hubert a loué une petite villa et engagé une jeune domestique qui lave le linge et repasse les uniformes. C'est là que les jeunes hommes se changent, revêtant la chemise et le pantalon de toile qui abolissent le rang, lorsque deux ou trois fois par mois ils décident d'une soirée ensemble. Naturellement c'est l'officier fortuné qui paie restaurant et fumerie, mais pour qu'il n'y ait aucune ambiguïté, Hubert a d'entrée de jeu précisé que jamais les contingences matérielles ne devront ternir l'amitié quasi fraternelle qui les unit.

Depuis dix mois qu'il a abordé aux rives du Tonkin, Yann a vécu intensément. De la guerre à l'amour, il s'est jeté à corps perdu dans toutes les aventures. Le père Le Gallic n'avait pas menti, l'Asie est bien ce continent extraordinaire où alternent soleil et crachin, douceur et cruauté, horreur et beauté. Ici on meurt brûlé par les fièvres, dévoré par les myriades d'insectes et de moustiques venus d'eaux croupissantes dans la moiteur des jungles. Ici, la vie n'est rien. Mais quelle sublime beauté ont les paysages, et quelle prodigieuse sérénité émane des jonques aux yeux de jade glissant silencieusement sur les flots de la baie d'Along, où les rochers géants semblent avoir été posés là par quelque génie des eaux.

Hubert le lui a révélé sous le sceau du secret. Dans trois jours, il s'embarqueront pour la Chine, et Yann laisse voguer son imagination. Dans les livres du capitaine Blin on parlait du Céleste Empire et les images montraient des chinois à la longue natte tressée. Comment seront-ceux-là que l'on va combattre ? L'officier avait parlé de Fou-Tcheou, le port principal du littoral chinois entre Canton et Shanghaï. On verrait bien !

*

* *

C'est une puissante escadre qui pénétra le 12 juillet 1884 dans la rivière Min, pour aller mouiller devant l'arsenal maritime de Fou-Tcheou. Un cuirassé, le « La Galissonnière » ; des croiseurs, le « Bayard », la « Saône », le « Villars », le « Volta » où flottait le pavillon de l'amiral Courbet, le « d'Estaing » et –

celui-ci, Yann le regarda avec émotion – le « Duguay-Trouin ». Plusieurs torpilleurs, et des canonnières « l'Aspic », le « Lynx » et la « Vipère » sur laquelle était embarquée la compagnie de fusiliers-marins de l'Enseigne de vaisseau de Valclouet, complétaient une flotte fortement armée. Hubert avait vaguement fait état d'un traité une nouvelle fois violé par la Cour de Pékin, pour justifier la mise en route de l'escadre. Qu'importait à Yann que la riposte fut ou non justifiée, le Tonkin ou la Chine c'était toujours l'aventure. Guerrière, il n'en doutait pas ; amoureuse, il l'espérait bien.

Abrité derrière la plaque de blindage d'un canon, Yann regardait défiler devant ses yeux les formidables défenses chinoises. Hubert lui avait situé Fou-Tcheou avec sa cité murée peuplée de mandarins et de commerçants, la concession européenne de l'île de Nantaï, et les quelque 600.000 habitants de cette énorme ville grouillante de vie. Les trois canonnières chargées de fusiliers-marins navigaient de concert dans le sillage des croiseurs, et Yann avait pu contempler d'assez près deux forts – Kimpaï et Mingan – hérissés de canons pointés sur la rivière, ce qui n'était guère rassurant.

Des bateaux de guerre étrangers, américains et anglais, étaient au mouillage avec des navires du commerce. Constat plus inquiétant, une imposante escadre chinoise était disposée en ordre de bataille.

Yann remarqua un superbe croiseur avec des idéogrammes rouges sur la coque et nota son nom, « Yang-Ou », il y avait aussi plusieurs avisos et canonnières avec des jonques de guerre bien armées. S'y ajoutait une quantité de brûlots, dont le maître-principal Perraut qui les connaissait bien expliqua qu'ils étaient à coup sûr remplis de dynamite.

L'escadre française attendait maintenant depuis de longs jours et cette attente était de plus en plus crispante pour les marins, alors que sous leurs yeux les chinois continuaient de renforcer leurs défenses, recevant quotidiennement des renforts en hommes et en matériel. Le commandement français avait fait embosser des navires à l'embouchure de la rivière, pour éviter que l'escadre soit prise dans une nasse si la bataille qui paraissait imminente éclatait.

Le 16 août, jour anniversaire de la naissance de l'Empereur de Chine, tous les navires – chinois et français – se couvrirent de pavillons. Ce ne fut pas le moindre paradoxe d'une situation où deux ennemis prêts à en découdre pavoisèrent de concert. Il est vrai que dans la coulisse, les diplomates en jaquette et pantalon rayé poursuivaient un dialogue de sourds avec les Fils du Ciel en robe de soie brochée d'or.

Les jours suivants, les bâtiments chinois changèrent presque sans arrêt de position, inquiétant les observateurs et provoquant un état d'alerte permanent sur les navires français. Les anglais et les américains avaient envoyé à terre des détachements armés qui allaient protéger leurs ressortissants sur l'île de Nantaï, faubourg de Fou-Tcheou. Le contentieux était uniquement franco-chinois, et la seule crainte d'un soulèvement contre les étrangers justifiait l'envoi de troupes à partir de navires considérés comme neutres. Ces bâtiments s'éloignèrent d'ailleurs des deux escadres, ce qui confirma la rumeur d'un déclenchement désormais tout proche des hostilités. C'était le 23 août et une chaleur torride régnait sur la rivière, où les hommes tendus et surexcités se préparaient au combat.

Les ordres furent donnés aux fusiliers-marins des trois canonnières par leurs officiers. Sur la « Vipère », Hubert de Valclouet peut-être un peu plus pâle que d'habitude s'adressa à ses hommes d'une voix qui ne tremblait pas. Dès l'ouverture du feu, il reviendrait aux canonnières de se porter à l'attaque des transports-avisos – eux-mêmes chargés des troupes – aux aguets à hauteur de l'arsenal. Elles seraient protégées dans cette action par des canots à vapeur armés en guerre.

C'est un drapeau rouge hissé au grand mât du « Volta » qui donna le signal du feu, et toute l'escadre fit donner ses canons dans un fracas de fin du monde. Les objectifs de chaque navire avaient été bien définis, et un immense pavillon tricolore avait, sur le vaisseau-amiral, remplacé le drapeau rouge rapidement amené. Comme en écho à la formidable canonnade, celle des chinois, aussi terrifiante, lui répondit immédiatement.

La tête rentrée dans les épaules, les fusiliers-marins attendaient le choc alors que leur bateau fonçait sur l'objectif en faisant feu de toutes ses pièces. Yann entendait siffler les projectiles au-dessus de sa tête, il vit des navires couler après avoir été touchés de plein fouet et d'autres – français et chinois – blessés à mort qui allaient s'échouer sur la rive. Des flammes énormes montaient du croiseur « Yang-Ou » torpillé, et des hurlements s'élevaient du bâtiment transformé en brasier.

Combien de minutes s'étaient écoulées qui semblaient des heures ? C'était toujours le même état d'esprit qui étreignait Yann à l'heure de la bataille. La peur d'abord qu'il ne pouvait réfréner, mais pas celle de mourir ou de souffrir. Peur de mal faire, de n'être pas à la hauteur, d'être lâche peut-être. Et cela lui tordait les tripes et lui faisait serrer les dents, tant que ses mâchoires en restaient douloureuses. Tout cela s'évanouissait lorsqu'il entrait dans le combat, une sorte de rage froide l'habitait qui décuplait ses forces. Alors guerrier impitoyable, Yann frappait, éventrait, égorgeait. Il ne sentait plus les coups, concentré sur son horrible travail, sourd aux cris de douleur ou de haine – les siens qu'il n'entendait pas et les autres qui n'étaient que rumeur lointaine – comme l'était sans doute cet ange exterminateur à l'épée flamboyante, dont parlait jadis à Saint-Malo le Père Tellier lorsqu'il lisait la Bible à l'enfant fasciné.

Un grand fracas de tôles enfoncées et l'odeur familière de la poudre. L'abordage brutal et l'assaut. Yann fut parmi les premiers à prendre pied sur l'aviso chinois, alors que l'Enseigne de vaisseau de Valclouet, revolver au poing et vêtu d'un uniforme blanc, entraînait ses hommes de la voix et du geste. Yann, qui tenait son fusil à deux mains enfonça sa baïonnette dans la gorge d'un chinois la traversant de part en part. D'une violence inouïe, le combat fut pourtant bref et les chinois survivants se jetèrent à l'eau pour fuir ces démons casqués. Les fusiliers-marins passèrent impitoyablement par dessus bord les morts et les blessés ennemis.

Objectifs atteints, les hommes attendaient sur le navire chinois dévasté. Les canons Krupp tiraient depuis les batteries de la rive, mais le feu des navires français les réduisit l'une après l'autre au silence. Dans l'exaltation fiévreuse qui succède à la bataille, Yann et ses camarades suivaient en spectateurs attentifs le formidable combat naval des monstres d'acier. Un obus français toucha par l'arrière le croiseur « Ching-Waï », il balaya le pont et ressortit sous le beaupré dans une gerbe de feu. Des survivants se jetaient dans les barques de sauvetage, d'autres sautaient dans la rivière pour tenter de gagner la rive. Le navire coulait lentement et lorsque l'eau envahit ses chaudières, il explosa projetant en l'air des hommes et des débris. Déchiquetés.

La journée se poursuivit par la destruction systématique des bâtiments – canots, jonques et sampans – dont certains transformés en brûlots sautaient dans de terrifiantes explosions. Pour la première fois Yann assista à un lancement de torpilles. Il fut stupéfait de voir ces longs poissons d'acier porter la mort deux cents mètres plus loin avec leur charge de trente kilos de fulmicoton et de nitroglycérine. Hubert lui expliqua plus tard que ces torpilles Whitehead étaient vraiment révolutionnaires par leur mécanisme à air comprimé et leur hélice semblable à celle d'un navire.

Jusqu'au lendemain midi les destructions se poursuivirent, et le soir venu toute l'escadre leva l'ancre laissant derrière elle un spectacle de désolation. La descente de la rivière nécessita une intervention rapide et meurtrière des fusiliers-marins, afin de réduire les batteries du fort Mingan. Six morts et plusieurs blessés français dans cette seule opération, le prix à payer était bien lourd. Il revint encore aux fusiliers-marins d'attaquer, le 27 août, le fort de Kimpaï et les jonques qui le protégeaient. Yann s'y couvrit de gloire alors que tombait près de lui le Lieutenant de Vaisseau Bouet-Willaumez, second du « Duguay-Trouin », qui dirigeait l'assaut du détachement français, atteint d'une balle en plein coeur. Les combats durèrent trois jours et les fusiliers-marins soutenus par le feu de « l'Aspic » et de la « Vipère » eurent des dizaines de morts et de blessés.

Victorieuse, l'escadre française sortit de la rivière Min. Sur quarante kilomètres le fer et le feu s'étaient abattus et il ne restait plus un seul canon chinois en état de tirer. Après sept jours ininterrompus de combats, les hommes et le matériel avaient été rudement éprouvés et l'amiral décida de faire mouiller l'escadre devant la petite île de Matsou, toute proche de l'embouchure de la rivière. Des bateaux ravitailleurs approvisionnèrent en charbon, vivres et munitions, les bâtiments de l'escadre venue panser ses plaies. Les hommes avaient également besoin de repos, mais l'île n'offrait guère de distractions et ses habitantes plutôt sauvages s'enfuyaient à la seule vue d'un uniforme. Lorsque au bout d'un mois l'ordre fut donné d'allumer les feux pour le départ, Yann et ses camarades ne cachèrent pas leur satisfaction. Ils se promirent une formidable bordée pour leur retour, les filles d'Haïphong n'avaient qu'à bien se tenir...

Sous le ciel limpide l'escadre taillait sa route et les marins regaillardis manifestaient une constante bonne humeur alimentée par les rires et les plaisanteries. Yann n'était pas le dernier à entretenir l'ambiance jusqu'au moment où il s'avisa que le cap choisi, vers l'Est, n'était nullement celui qui menait au Tonkin. Discrètement interrogé, l'Enseigne de Valclouet confirma ses doutes. D'ailleurs après le repas du midi, le commandant de compagnie réunit ses hommes sur le pont et leur apprit qu'ils allaient à Formose, une grande île située à quelque quatre-vingt milles de la province du Fu-Kien. Cette nouvelle fit s'allonger les visages mais n'appela aucun commentaire, ni aucune question.

En quelques minutes la nuit avait succédé au jour, et les bateaux réduisirent sensiblement l'allure. A l'arrière du navire, Hubert et Yann appuyés au bastingage regardaient le sillage presque phosphorescent en devisant à voix basse. Seul le rougeoiement des cigarettes éclairait leurs visages. A son ami, Hubert expliquait la mission qui les attendait dans le cadre d'une politique de représailles décidée en haut-lieu. Il importait de prendre en gage quelque point stratégique des côtes chinoises, le choix de Formose avait été arrêté. L'officier n'en savait guère plus, on lui avait seulement laissé entendre que l'opération serait assez longue et qu'il fallait s'attendre à de durs combats.

– Il semble que nous ne soyons pas près de revoir Hanoï et ses plaisirs, affirma Hubert. Mais je ne doute pas que la petite Minh s'occupera parfaitement de la villa, je lui ai laissé assez de piastres pour y pourvoir.

– Après tout, lieutenant, nous n'allons pas nous plaindre. C'est bien l'aventure que nous sommes venus chercher dans ce pays tous les deux ?

– Bien sûr Yann, c'est aussi notre métier de soldats et je crois que ni l'un ni l'autre ne sommes faits pour rester trop longtemps en garnison, ce n'est pas notre nature.

– C'est vrai ! Et peut-être sur cette île de Formose allons nous trouver ce que nous aimons tous les deux, y compris les jolies filles ?

L'officier rit doucement et alluma une nouvelle cigarette. La flamme du briquet éclaira un instant son visage aux traits fins.

– Ce que je sais, dit-il, c'est que cette île où nous allons fut jadis conquise par les portugais. Ils la trouvèrent si merveilleuse qu'ils la baptisèrent Formosa – la Belle – n'est-ce pas prometteur ?

Yann sourit à son tour. Les deux hommes se souhaitèrent la bonne nuit, l'officier regagna son étroite cabine et le quartier-maître s'en fut rejoindre ses camarades. Dans le hamac suspendu aux crochets du roof, il s'endormit immédiatement. Hubert de Valclouet consulta longuement les instructions remises au départ de Matsou. Lorsqu'il se jeta sur sa couchette l'aube blanchissait déjà l'horizon sur la mer de Chine.

Les huit bâtiments de guerre et les deux transports de troupes qui composaient l'escadre jetèrent l'ancre en rade de Ké-Lung à la pointe nord de l'île.

C'était le 1er octobre. Vers midi, deux compagnies de fusiliers-marins – dont celle de l'Enseigne de Valclouet – furent envoyées en reconnaissance. Elles débarquèrent sans encombre et les hommes creusèrent des abris et préparèrent des positions défensives. Deux compagnies de soldats de l'infanterie de marine les rejoignirent aux environs de cinq heures de l'après-midi et s'établirent sur les positions. Les fusiliers-marins reçurent l'ordre d'occuper un piton haut d'une centaine de mètres qui ferait un observatoire idéal. Tout était calme et les hommes, les sens en éveil sur cette terre inconnue, s'avancèrent prudemment sous le couvert.

Le doigt sur la détente de leurs fusils, ils marchaient en colonne sous la voûte des grands arbres. Leurs pas étaient étouffés par le tapis de mousse, on n'entendait que les bruits habituels de la forêt, froissements soyeux et battements d'ailes d'oiseaux apeurés. Au débouché de la clairière, alors qu'ils entamaient les premières rampes une vive fusillade les cloua au sol. L'embuscade avait été bien montée et plusieurs hommes ne se relevèrent pas, les fusiliers-marins avaient déchargé leurs armes au jugé sur un ennemi invisible. Il leur fallut près de deux heures pour en venir à bout, les chinois n'étaient pas très nombreux mais depuis les hauteurs ils étaient en position forte. Yann et une dizaine d'autres volontaires furent envoyés pour les prendre à revers, seulement armés de couteaux et d'explosifs. Après avoir escaladé l'autre versant de la montagne, ils délogèrent la vingtaine de chinois retranchés sur le sommet. Ceux-ci dévalèrent la pente, pour tomber sous les balles du gros de la troupe française à l'affût. L'affaire était réglée et le piton conquis, mais la nuit était venue et les marins bivouaquèrent au sommet.

Le lendemain, ils furent relevés par les soldats chargés d'occuper et de fortifier le terrain conquis. On avait besoin ailleurs de ces troupes d'assaut qu'étaient les fusiliers-marins. Un nouveau débarquement leur permit d'enlever des ouvrages défensifs au sud-est du port, aux côtés des compagnies du « Duguay-Trouin ». La puissante armada française s'était encore accrue de plusieurs bâtiments envoyés en renfort sous le commandement de l'amiral Lespès, et Hubert de Valclouet avait vu sa compagnie renforcée pour un futur assaut du port de Tam-Sui sur la côte ouest de l'île. Il n'y avait pas à s'y tromper, Yann et lui n'étaient pas près de goûter aux délices tonkinois de l'amour et du jeu sur les rives du Petit Lac.

Soleil, souffrances. Maîtres des massifs et des forêts les chinois attaquent, tendent des pièges et des embuscades meurtrières. Ils sont tant qu'ils semblent sortir du sol, génération spontanée de combattants insensibles à la douleur et tueurs impitoyables. Les canons et les fusils crachent la mort, comme l'acier glacé des poignards et des baïonnettes, et les eaux jaunes de la mer charrient des cadavres. De français, garçons d'Alsace ou de Bretagne à la peau trop claire, tendre aux brûlures et aux piqûres des tropiques. D'asiates aux yeux bridés, venus de Mandchourie pour tuer les barbares étrangers, eux les Fils du Ciel. Et la mer de Chine roule les uns et les autres, charognes indécentes, baudruches dérisoires bardées de cartouchières, pantins gonflés par le courant tiède du Kuro-Shivo qui longe les côtes de Formosa la belle.

Les français le savent maintenant, ils ne prendront pas Formose. Les premiers succès ont pu faire illusion mais les chinois formidablement retranchés sont trop nombreux. Les semaines et les mois ont passé, de la mousson d'automne aux crachins de l'hiver et le blocus de l'île s'avère inefficace. Les jonques de contrebande passent comme elles le veulent entre les mailles du filet tendu par l'escadre française, et apportent chaque jour les obus et le riz aux défenseurs. Les fusiliers-marins tiennent bien les positions conquises, mais malgré des engagements fréquents ne peuvent étendre celles-ci face à la fourmilière humaine. Et les hommes épuisés, minés par la fièvre dans d'effroyables conditions d'hygiène sanitaire sont plus encore décimés par la maladie que par les canons Krupp et les carabines Mauser de l'ennemi.

L'extraordinaire vitalité de Yann Bellec lui a permis de résister, mais fatigué et amaigri il traîne une sorte de mélancolie et reste parfois – lui si loquace – des heures sans desserrer les dents. Sa bonne humeur jadis inaltérable l'abandonne certains jours, irritable il a failli se battre avec un autre fusilier-marin pour une vague histoire de boeuf en boîte. On sait ici que c'est l'inaction qui lui pèse, et la tension nerveuse née de la surveillance d'un ennemi invisible mais que l'on sent partout présent. Animal de combat, il ne redevient lui-même que dans les engagements et se porte bien sûr volontaire pour toutes les missions dangereuses. Deux blessures, heureusement sans gravité, ont déjà sanctionné sa témérité. Elles lui ont aussi gagné de nouvelles citations dont les rubans éclaireront l'uniforme bleu de sortie qui lui va si bien. Mais quand ?

Le médecin du navire-amiral sur lequel l'enseigne de vaisseau Hubert de Valclouet était fréquemment convoqué pour rendre compte des opérations terrestres, avait plusieurs fois voulu faire hospitaliser l'officier. Celui-ci avait toujours refusé estimant que sa place était à terre avec les hommes de sa compagnie. Il avait donné le meilleur de lui-même tant dans les attaques qu'il conduisait avec panache que dans son commandement où il veillait à tout, appliqué à fortifier tel ou tel bastion ou faisant renforcer la garde aux points faibles du dispositif français. Et pourtant, son visage émacié et ses yeux fiévreux trahissaient une immense fatigue. Il y avait six mois qu'avec la première vague de fusiliers-marins il avait débarqué sur la plage de Ke-Lung. Lorsqu'il vint à bord et malgré ses protestations, l'amiral lui-même ordonna son hospitalisation.

Envoyés de Hanoï et même de Saigon, des renforts de troupes arrivèrent au printemps pour relever les hommes épuisés. Pour eux le repos fut bref puisque six jours plus tard, ils embarquaient à bord de « l'Annamite » avec quatre-cents soldats de l'infanterie de marine et une section d'artilleurs. Le voyage ne serait pas trop long jusqu'à l'archipel de P'eng-Hu-Lieh-Tao que les portugais avaient baptisé « Pescadores » du fait qu'il n'était peuplé que de pêcheurs. Mais l'affaire promettait d'être chaude car les moyens déployés par l'escadre française étaient considérables. C'est avec tristesse que Yann avait vu partir son ami Hubert. Un nouveau commandant de Compagnie le remplaça, il apprit aux hommes l'hospitalisation de l'officier et son probable transfert à bord d'un navire regagnant le Tonkin. Pour la première fois depuis près de deux ans, le jeune breton éprouva un vif sentiment de tristesse et une douloureuse sensation de solitude. Des liens très forts l'avaient uni à cet homme venu d'un autre milieu, presque d'un autre monde, mais Yann savait qu'il lui garderait toujours son amitié et que de son côté Hubert n'oublierait pas celui qui lui avait sauvé la vie.

*
* *

La mer de Chine et ses flots tumultueux, Sheï-Pou et le Yang-Tsé-Kiang, la guerre se poursuivait avec le débarquement sur les îles Pescadores, sous la mitraille chinoise vite baillonnée par les obus des canons de la « Triomphante » et du « Duchaffaut ». Des forts et des batteries à conquérir, parfois au corps-à-corps. Yann se souviendrait longtemps de la destruction du barrage qui fermait le port de Ma-Kung. Il avait failli y laisser sa peau cette fois, mais son héroïsme avait été si grand que son commandant de Compagnie ne voulut laisser à personne d'autre l'honneur de hisser le pavillon français sur le port. Au soir du 31 mars, c'est donc le quartier-maître de première classe Bellec qui fit monter les trois couleurs sur Ma-Kung, après avoir amené le pavillon chinois. Le 11 juin, les troupes françaises des Pescadores apprirent qu'un traité de paix avait été signé deux jours plus tôt à Tien-Tsin. La campagne était terminée puisque la Chine renonçait à ses droits sur le Tonkin et l'Annam. Yann fêta ses vingt-et-un ans sans éclat particulier, avec l'ordinaire seulement amélioré d'une bouteille de rhum échangée avec un marin contre un poignard chinois. Son plus beau cadeau d'anniversaire fut l'annonce officielle d'un prochain retour au Tonkin. Effectivement, quelques semaines plus tard l'escadre levait l'ancre et mettait le cap sur Haïphong. Un départ salué par les explosions – pacifiques celles-là – des feux d'artifice tirés par les chinois.

Ce fut un peu comme s'il rentrait à la maison après des mois d'absence. Yann retrouva Hanoï avec un plaisir extrême en dépit du crachin de l'hiver tonkinois. Deux lettres l'attendaient. Il reconnut immédiatement l'écriture appliquée de sa mère sur la première enveloppe, la seconde portait le cachet de la marine.

A Saint-Malo, disait Catherine, l'été avait été très chaud et le chemin de fer avait amené des gens de Rennes et de Paris, venus nombreux goûter aux bains de mer et respirer l'air iodé du large. Chacun ici s'en était réjoui et elle-même avait été employée jusqu'en septembre, dans une grande villa louée par un médecin parisien et sa famille. Le travail, disait-elle, ne lui avait pas manqué avec les cinq enfants du couple mais elle avait été convenablement traitée, et le médecin s'était montré généreux à l'heure du départ. L'argent gagné lui permettrait, ajoutait sa mère, de choyer son petit Yann lorsqu'il reviendrait à Saint-Malo. Yann sourit, attendri, et poursuivit la lecture de sa longue lettre, la dégustant en quelque sorte comme une bouffée d'air du pays natal. L'annonce de la mort de la brave Louise qu'il regardait un peu comme sa grand-mère l'attrista sincèrement. Il est vrai qu'elle venait d'atteindre ses quatre-vingt-un ans et, précisait Catherine, elle était partie sans souffrir, dans son sommeil. Ce dernier point adoucit quelque peu la peine du jeune homme. Les recommandations habituelles et les mises en garde contre tous les dangers d'un pays de sauvages, terminaient la missive. Elles étaient autant de cris d'amour maternel pudiquement exprimés, et Yann le savait bien qui relut plusieurs fois sa lettre avant de la ranger avec les autres dans sa valise en bois.

La seconde enveloppe rédigée d'une fine écriture venait de Cochinchine, envoyée par son ami Hubert de Valclouet. Ramené au Tonkin, l'officier avait été hospitalisé à Haïphong avant de passer trois semaines de convalescence à Vat-Chaï, dans la baie d'Along où il avait recouvré ses forces. Désigné pour un nouveau commandement à Saïgon, il avait dû liquider la location de la villa d'Hanoï et il était passé reprendre ses affaires. La petite Minh, disait-il, avait beaucoup pleuré à l'idée de quitter cette maison où le travail était si facile et les locataires si peu exigeants. Hubert l'avait doté d'un viatique substantiel propre à sécher les larmes de la plus éplorée des tonkinoises.

L'Enseigne de vaisseau disait son regret de s'éloigner d'un ami cher. Les aléas de la carrière militaire les séparaient pour un temps, mais il ne doutait pas qu'ils se reverraient un jour, soit dans ce pays qu'ils aimaient l'un et l'autre soit en France. Hubert avait joint l'adresse de ses parents en Touraine et demandait à Yann de lui écrire un petit mot quand il le pourrait. L'officier concluait sa missive en réaffirmant la fidélité de son amitié, et la dette de reconnaissance qu'il estimait avoir envers celui à qui il devait la vie. Yann fut touché par cette grandeur de sentiment.

Ce fut le troisième Noël d'Extrême-Orient pour Yann, et le soir de Nativité le vit traîner un peu en ville avec quelques camarades, boire deux ou trois verres et rentrer sagement à la citadelle. Allongé sur son lit dans la chambrée pratiquement vide, il fut long à s'endormir et sa pensée traversa les océans. C'était l'heure, pensa-t-il, où à Saint-Malo les gens se préparaient pour la messe de minuit. Yann les imaginait frileusement emmitouflés sur le chemin de la cathédrale, à l'appel de Noguette, la cloche ramenée de Rio de Janeiro par Monsieur Duguay-Trouin corsaire du roi et roi des corsaires. Nostalgie aidant, Yann oubliait superbement les leçons du capitaine Blin sur les fuseaux horaires, et le décalage qui faisait la nuit tonkinoise en même temps que le jour sur la France. Le sommeil le prit au petit matin, à l'heure même où son ami Hubert de Valclouet dans un restaurant de Saïgon portait un toast à l'amitié, en fêtant avec quelques officiers ses trois galons de Lieutenant de vaisseau.

*
* *

Le printemps, au Tonkin comme ailleurs, s'accompagne de toutes les promesses de la nature et Yann avait toujours aimé cette saison du renouveau. L'hiver s'était passé sans événement marquant avec la routine habituelle de la garnison, gardes et patrouilles, manoeuvres et corvées, mais le retour du beau temps en rompait la monotonie. Les sorties à la recherche d'un ennemi aussi audacieux que mouvant se multipliaient, à la suite de coups de main hardis sur les plantations et les bâtiments français. Le nhaqué ahuri, interrogé dans les rizières par le truchement des supplétifs, était peut-être celui qui tout à l'heure avait incendié ou dynamité les entrepôts. Allez savoir ! Celui-là n'avait évidemment rien vu ni rien entendu, seulement occupé à repiquer le riz. Les militaires brûlaient en représailles quelques paillotes du village le plus proche, après en avoir tout de même évacué – sans ménagement – les habitants résignés. Un peu à l'écart avec les gosses, les vieux à barbichettes, les poulets et les canards, ils regardaient les flammes dévorer leurs pauvres biens. Sans un mot, sans un pleur. Impénétrables, derrière la fente de leurs yeux bridés il gardaient leur mystère, et sans doute leur haine.

Yann n'aimait pas ces opérations brutales. Il faisait son travail avec conscience, obéissant aux ordres, mais sans enthousiasme et sans excès de zèle. L'affrontement sur le terrain avec un ennemi armé, à la loyale, c'était ça la guerre ! Pas ces raids vengeurs sur des villages peuplés de pauvres gens. Une incursion des pirates chinois sur les mines de charbon de Hon-Gaî lui avait offert une heureuse diversion. Amenés depuis Haïphong par des jonques à travers les centaines d'îles de la baie d'Along, les fusiliers-marins avaient pu s'approcher du port et se ruer à l'assaut. Dans les immenses mines à ciel ouvert, le combat avait été meurtrier et les cadavres s'entassaient parmi les briquettes de houille. Les pirates qui n'avaient par été massacrés s'étaient enfuis vers les multiples grottes et cavernes, où ils savaient trouver un abri sûr. Il était hors de question de les poursuivre dans ce dédale de rochers, ni de contrôler les innombrables sampans qui jetaient leurs filets dans les eaux calmes de la baie. Deux canonnières patrouilleraient quelques jours le temps du retour à une situation normale. Jusqu'à la prochaine attaque...

Pour ses vingt-deux ans, le quartier-maître de première classe Yann Bellec reçut une lettre chaleureuse. Envoyée de Hué, capitale du royaume d'Annam, elle portait la signature du Lieutenant de vaisseau Hubert de Valclouet. Celui-ci y exerçait un commandement depuis trois mois, et avait en charge la surveillance de la circulation fluviale. Le transport des produits destinés aux magasins royaux en constituait l'essentiel, expliquait l'officier, car la soie brochée, les bois sculptés, les objets d'or et d'argent servaient aux ouvriers du palais pour la confection des cadeaux. Hubert évoquait cette belle ville entourée de montagnes pittoresques, et la cour royale réservée à la population officielle et aux mandarins, interdite jusqu'ici aux européens et aux missionnaires. L'officier disait son espoir de revoir son ami Yann dans les meilleurs délais, en se promettant de célébrer fastueusement les retrouvailles, et lui rappelait une fois encore l'adresse de la propriété familiale en Touraine. Yann, ce n'était pourtant pas dans ses habitudes, lui répondit le jour-même.

Dans trois mois, c'est un autre anniversaire qu'il conviendrait de célébrer. Le temps avait passé si vite, chargé de tant d'aventures que Yann avait du mal à réaliser. Cela ferait trois ans qu'il avait débarqué sur ce continent fascinant, trois ans de guerre, de bagarres, de souffrances, trois ans aussi de fêtes, de ripailles et d'amours. Quelques blessures, plusieurs décorations, et une amitié indéfectiblement partagée avec un garçon qu'il admirait, de somptueux paysages, des monuments grandioses ; allons, ces trois années avaient été formidables d'intensité et resteraient à jamais gravées dans sa mémoire. Avec un peu de mélancolie, Yann pensa que son père aurait été fier de lui.

*

* *

Folle, presque incroyable, la rumeur avait couru d'un bout à l'autre de la citadelle. Venue on ne savait d'où, répercutée d'un bâtiment à l'autre, reprise et amplifiée, elle était parvenue jusqu'à la salle de police où le quartier-maître Bellec – décoré de la médaille militaire – purgeait les huit jours de prison sanctionnant sa participation à une formidable bagarre, dans un restaurant huppé de la ville. Des milliers de piastres de dégats, quelques soldats à l'infirmerie, la patrouille rossée et surtout un attaché d'ambassade blessé dans sa dignité, le bilan était lourd qui avait justifié la punition donnée par un chef de corps plus amusé que consterné.

– Bellec, Bellec ! Tu sais la nouvelle ?

– Non ! Est-ce qu'on va me fusiller ? interrogea un Yann goguenard, allongé sur le bât-flanc de la salle de police. Cigarette au bec, il était occupé à feuilleter un ouvrage consacré aux sculptures érotiques des temples de l'Inde. La revue, passablement usée par les prisonniers dont elle faisait les délices, était rédigée en anglais mais les reproductions se passaient aisément de traduction.

– On rentre au pays ! beugla le porteur de la bonne nouvelle. Il paraît qu'on embarque début octobre...

Elle restait à vérifier, mais la nouvelle était d'importance. Yann en convint et laissa tomber sa revue.

– C'est sûr ? Ce n'est pas une connerie ?

– Sûr, affirma l'autre, c'est Guillemaud qui était de planton, il a vu le papier sur le bureau du Commandant.

Tout cela semblait sérieux et Yann, comme la plupart de ses camarades sans doute, ne dormit pratiquement pas de la nuit. Bon Dieu ! Rentrer au pays, retrouver sa mère, les remparts de Saint-Malo, les copains du port. Bon Dieu, quelle fête ! Et les filles de chez nous à la peau blanche et aux yeux clairs, aux cheveux frisés et aux toisons fournies. Tout ce que n'ont pas les filles d'ici, graciles et soumises sans doute mais à la peau d'ivoire et au pubis clairsemé.

Durant deux jours, alors que les hommes surexcités faisaient les rêves les plus fous, rien ne vint confirmer l'extravagante rumeur, ce qui doucha quelque peu l'enthousiasme. Sa peine purgée, Yann retrouva ses camarades et la semaine s'acheva sans qu'aucun signe puisse faire croire à une annonce officielle. Cent fois interrogé par les fusiliers-marins de plus en plus hargneux, le pauvre Guillemaud eut beau affirmer avoir vu, de ses yeux vu, la fameuse note, on mit en doute sa parole, son intelligence et jusqu'à sa virilité. Pourtant, le mardi midi au rapport le Commandant descendit pour s'adresser personnellement à ses hommes, ce qui n'était pas habituel. Guillemaud triomphait, mais les premières paroles du Commandant le firent rentrer sous terre en même temps qu'elles foudroyaient l'ensemble de la Compagnie.

– Je tiens à vous en informer moi-même, vous êtes dès à présent et jusqu'à nouvel ordre consignés dans la citadelle. Toutes les sorties sont supprimées. Nous allons partir en opération et de durs combats nous attendent. Je ne puis vous en dire plus, revue de paquetage et d'armement demain matin. Repos !

Le ciel leur était tombé sur la tête et les hommes accablés prirent le chemin du réfectoire. Le fusilier-marin Guillemaud, instigateur et victime d'une sorte de tragédie antique s'était discrètement éclipsé sans même qu'on l'interpellât. Le menu – riz et poisson – médiocrement goûté, n'appela aucun des commentaires habituels et la morosité ambiante persista tout au long de la journée. Yann, aussi secoué que les autres, se vengea en astiquant furieusement fusil et baïonnette et en aiguisant comme un rasoir le poignard qu'il portait toujours en opération, en plus de ses armes réglementaires, dans un étui glissé dans sa guêtre droite.

La revue terminée, les hommes reçurent l'ordre de se tenir prêts et le lendemain matin ils embarquaient à bord d'une canonnière amarrée sur le Fleuve Rouge, à hauteur de Gia-Lam. A une vingtaine de kilomètres de Hanoï, le navire – canons et mitrailleuses en batterie – s'engagea sur le Day. Débarqués silencieusement sur les digues, ils se déployèrent pour encercler un village fortifié de palissades de bambous acérés. Le renseignement avait été fourni par un indicateur tonkinois, appâté par la prime promise à ceux qui signaleraient tout mouvement ou rassemblement d'hommes en armes sur l'ensemble du delta. Celui-ci avait affirmé que des pirates chinois se retrouvaient régulièrement dans un village proche de la rivière, vraisemblablement pour partager le butin de leurs pillages. Ils étaient une cinquantaine, avait dit l'homme, et bien armés. Le commandement français avait décidé de tendre une embuscade et la Compagnie de fusiliers-marins avait été désignée pour mener l'opération.

L'information était exacte, à ceci près que les pirates étaient une bonne centaine et que, mystérieusement prévenus, ils attendaient les français. La tentative d'encerclement tourna court et les soldats à terrain découvert furent pris sous les feux croisés de tireurs embusqués. Il en resta une douzaine sur le terrain, les autres rejoignant le gros de la troupe pour une attaque frontale massive. Imprévisible, une mitrailleuse faucha les assaillants semant la mort dans les rangs serrés qui chargeaient baïonnette au canon. Le fusilier Genest, celui-là même qui était venu halctant annoncer à Yann la formidable nouvelle du retour, tomba tout près de lui haché par les balles. Aplati dans la terre rouge comme s'il avait voulu s'y enfoncer pour échapper aux rafales meurtrières, Yann avait été éclaboussé du sang de son camarade. En fait de revoir son pays, le malheureux allait pourrir sur ce continent hostile et jamais ceux qui l'aimaient, à des milliers de kilomètres d'ici, ne sauraient comment il était mort. Yann étouffa un sanglot. Cloué au sol, il entendait les ordres lancés derrière lui mais sans les comprendre, assourdi par la mitrailleuse qui tirait toujours. Les rafales se firent plus espacées, alors des hommes se levèrent au commandement et l'un d'eux marcha sur Yann qu'il croyait mort. Le jeune breton se souleva, l'appel familier du clairon qui sonnait l'assaut réveilla ses instincts. Il empoigna son fusil et se lança vers le village.

Désastreuse opération. Lorsque franchissant les palissades les fusiliers-marins investirent les paillotes, il ne trouvèrent personne hormis le tireur effondré sur sa mitrailleuse. Ayant épuisé ses cartouches, le chinois s'était enfoncé un poignard dans le coeur après avoir contenu les français tout le temps nécessaire à la fuite des pirates. Vingt-quatre morts, trente-sept blessés, le bilan était catastrophique et les français pouvaient bien anéantir le village dans les flammes, l'échec était total. A cette heure les pirates étaient loin, remontant la rivière ils avaient gagné les repaires inviolables qu'ils s'étaient aménagés depuis des années. Recouverts d'une bâche, les cadavres des jeunes soldats avaient été entassés sur le pont de la canonnière, et c'est dans la tristesse la plus complète que les hommes regagnèrent Hanoï. Personne ne parlait et les gémissements des blessés ajoutaient à l'ampleur du désastre. Yann ne put manger et son sommeil fut peuplé de cauchemars effrayants.

– Compagnie ! Au rapport !

Trois jours après le massacre du Day, l'appel résonna dans les couloirs du bâtiment sans éveiller d'écho particulier. Mal remis de la perte de leurs camarades, les fusiliers-marins se rendirent sans enthousiasme dans la cour de la citadelle. L'envoi des couleurs les figea dans un garde-à-vous hiératique. Mis au repos, ils écoutèrent d'une oreille distraite la litanie habituelle des punitions, ordres de service et autres. Au commandement, ils rectifièrent la position lorsque le commandant de Compagnie s'adressa à eux.

– Quartiers-maîtres et marins, dit-il dans l'émotion générale, je veux saluer aujourd'hui la mémoire de vos camarades qui viennent d'être tués au combat. Ils sont tombés en braves et je m'incline devant leurs tombes fraîches.

Dans les rangs des fusiliers-marins courut comme un frisson, et bien des yeux s'humectèrent de larmes alors que l'officier d'une voix brisée, terminait son hommage posthume. Suivit l'appel des disparus. A chacun des noms lancés par un marin, un autre répondait : « Mort pour la France », et l'aigre sonnerie du clairon soulignait la tristesse d'une cérémonie déchirante.

– J'ai autre chose à vous dire, annonça le Commandant, votre séjour en Extrême-Orient se termine, vous embarquerez le 1er octobre prochain à Haïphong. Rompez !

Un silence de mort succéda à l'annonce fabuleuse, mais quelques secondes plus tard un formidable « Hurrah » éclata comme le tonnerre, et des dizaines de bérets aux pompons rouges furent lancés au ciel. Des larmes, de joie cette fois, coulèrent sur des visages bronzés et Yann serra dans ses bras, à le broyer, son voisin le plus proche. Merveilleuse et insouciante jeunesse qui passait sans transition de la tragédie à l'allégresse. La soirée fut folle d'une bienheureuse liesse. Des cartons, sortirent les bouteilles gardées pour ce grand jour et le fusilier Guillemaud qui avait pourtant le triomphe modeste fut porté en triomphe sur les épaules du grand Yann. L'extinction des feux fut loin d'éteindre l'enthousiasme et c'est aux chandelles que se termina la nuit la plus fantastique avec des chants paillards à faire trembler les murs de la citadelle.

Au premier jour d'octobre 1886, après avoir rallié Haïphong par le petit train cahotant pris en gare d'Hanoï, deux compagnies de fusiliers-marins embarquèrent sur le même grand voilier à moteur qui les avait amené trois ans plus tôt. Ivres de joie, certains n'en avaient pas moins la bouche pâteuse. Tous les tambours résonnaient encore dans la tête de quelques autres, souvenir de la fantastique fête de la veille. Yann avait mené la danse dans une sorte d'orgie romaine à travers les bâtiments de la citadelle, et les tuniques de soie enlevées de vive force aux entraîneuses d'une boîte de nuit chic avaient tenu lieu de péplums. Il ne resta que six hommes debout aux premières lueurs de l'aube. A l'initiative de Yann, ils versèrent dans un casque la dernière bouteille de champagne et complétèrent le niveau en urinant dans cette coupe improvisée. Sauf l'un d'eux qui eut l'élégance de faire état d'une chaude-pisse contractée quelques jours plus tôt. Tous les six jugèrent succulent ce breuvage inhabituel.

Salués par les camarades un peu tristes qui restaient sur le quai, les hommes grimpés dans les haubans agitaient leurs mouchoirs. Le navire mit cap au sud. Le soir même une terrible tempête se déchaîna et les hommes furent confinés dans les cales fermées par des panneaux. Jusqu'à Tourane, le voyage fut un enfer pour le plus grand nombre. Torturés par le mal de mer dans un local vite empuanti par les déjections, certains crurent rendre l'âme dans les creux terrifiants où s'enfonçait le bateau. L'accalmie ne vint qu'au bout de trois jours et tous montèrent sur le pont, avides d'air pur. Le navire compléta sa cargaison d'hommes et salué par les sirènes des navires en escale, tailla sa route vers Singapour. Le voyage dura des semaines par Ceylan, Suez et son canal, Port-Saïd et la Méditerranée. Les marins avaient froid maintenant, et curieusement les dartres et autres maladies de peau dont ils avaient souffert en permanence avaient disparu. Chypre, Malte, Oran où débarqua la Légion étrangère, et enfin la statue de Notre-Dame-de-la-Garde dominant Marseille. A pleins poumons les hommes respiraient l'air du pays, avec un mistral frisquet de fin novembre. Sur le toit de la dunette, Yann s'emplissait les yeux du paysage mais voyait bien au-delà. Là-bas où la mer était moins bleue, où ne soufflait pas le mistral, où ne chantaient pas les cigales mais où l'attendait sa mère. Chez lui, à Saint-Malo.

Le vent froid de décembre soufflait sur Saint-Malo, faisant grincer les enseignes rouillées au fronton des maisons et se courber sous les rafales les passants emmitouflés. Situé plein nord, le Sillon balayé par la bise était pratiquement désert, à l'exception d'un garçon de haute taille à la large carrure accoudé au parapet de granit, qui regardait les vagues monter à l'assaut des brise-lames enfoncés dans le sable de la plage. D'un vert profond, la mer s'enflait en grondant avant de venir exploser en gerbes d'écume. Yann avait toujours éprouvé une sorte de fascination à la vue de ce spectacle et le retrouvait, émerveillé. La Méditerranée, la mer Rouge, l'Océan Indien, la mer de Chine avaient chacune leur beauté mais il n'avait vu qu'à Saint-Malo cette fureur sauvage. Saint-Malo où, disait-on, se gonflaient les plus fortes marées du continent européen.

Depuis une semaine Yann était de retour chez lui et n'en finissait pas de s'enthousiasmer, retrouvant l'une après l'autre les saveurs oubliées, galettes de blé noir et cidre doux, beurre salé et saucisses grillées. Douceur du pays natal, dans les rues étroites où chaque pavé lui était familier. Bonheur de retrouver les visages connus et aimés, ceux qu'il avait côtoyé depuis sa petite enfance jusqu'à son départ. Tous n'étaient pas au rendez-vous de la tendresse, Louise, le Père Tellier, d'autres encore. Le capitaine Blin, lui avait dit sa mère, était aujourd'hui paralysé et passait ses journées dans le fauteuil devant la fenêtre d'où il continuait inlassablement à regarder la mer. Yann s'était promis de lui rendre visite.

Après avoir débarqué à Marseille, les soldats retour d'Extrême-Orient avaient été consignés au camp de Sainte-Marthe avant d'être dirigés vers leurs garnisons respectives. Pas question de bordée dans les rues chaudes du port comme se l'étaient promis Yann et ses copains, expédiés dare-dare à Toulon. Ils y avaient passé quatre jours au cours desquels les formalités, les revues et la visite médicale complète avaient passablement excité la grogne de garçons exilés depuis plus de trois ans. Ils furent enfin autorisés à partir, après avoir obtenu la permission de fin de séjour colonial qu'ils attendaient avec impatience. Sauf Morisseau, copain de bordée de Yann, qui écumait littéralement de rage. La maladie vénérienne, cadeau d'une putain tonkinoise, avait été détectée par le médecin-major et lui valait de rester consigné le temps d'un traitement, qui pour être efficace se devrait d'être assez long.

Quoique encadrée, c'est donc une joyeuse équipe de fusiliers-marins qui prit le chemin de la gare pour monter dans le train de Paris. Une autre déception les attendait. Craignant sans doute de possibles débordements de la part de jeunes gens sevrés d'alcool autant que d'amour, lâchés parmi les voyageurs, l'armée avait réservé des wagons à leur seul usage. Ultime vengeance, tous ceux qui le purent montrèrent leur cul à la portière au moment du départ, provoquant parmi la foule massée sur le quai une certaine agitation.

A Paris les hommes s'étaient égaillés dans toutes les directions, un certain nombre mettant le cap sur Montmartre. Ils étaient une trentaine – plus sages ou plus pressés – qui montèrent dans le train de Brest à la gare Montparnasse. Fatigués, ils dormirent tant bien que mal, la plupart à même le sol. Descendu à Rennes, Yann n'aurait que trois heures plus tard la correspondance pour Saint-Malo. Avec un autre marin, originaire de Dol-de-Bretagne, il décida d'aller boire un verre à « La Féria » une maison close tout près de la gare. Malgré les invites des pensionnaires mises en appétit par la prestance et les yeux bleus de ce beau marin, Yann ne monta pas à l'étage se contentant de vider une bouteille d'un muscadet particulièrement gouleyant avec son camarade. Quoique moins sollicité, ce dernier écouta le chant des sirènes. Les quelque dix minutes qu'il passa là-haut avec une rouquine à la tignasse flamboyante, donnèrent aux deux garçons matière à conversation jusqu'au départ du train de Saint-Malo.

L'omnibus, estima Yann au jugé, devait bien filer ses dix noeuds. Rien à voir avec les torpilles de Fou-Tcheou, mais cette lenteur dans la campagne dénudée n'était pas pour lui déplaire. Les fermes et les pommiers, les vaches et les chevaux dans les prairies, autant d'images chères à sa mémoire et retrouvées intactes. Il était à peine quatre heures lorsque le train s'arrêta sous la verrière de la gare de Saint-Malo. Yann en descendit, sa valise à la main et un grand sac sur l'épaule.

Respirant l'air du pays à pleins poumons, il ouvrait des yeux étonnés en découvrant les hôtels, les magasins, sortis du sol durant son absence. Il longea les bassins et regarda les trois-mâts morutiers à l'amarre, l'ôdeur familière de la saumure et du goudron lui chatouilla agréablement les narines. La flèche de la cathédrale lui sembla être le mât de ce vaisseau de pierre qu'était sa ville, il y aborda par la porte Saint-Vincent. Devait-il prendre tout de suite à gauche cette fameuse rue de la Soif où se retrouvent tous les marins du monde en escale à Saint-Malo ? Ce n'était pas la bonne heure pour les boîtes à matelots, et Yann avait trop envie de retrouver sa mère.

Il marchait d'un pas alerte et les femmes regardaient avec intérêt ce superbe marin dont l'uniforme mettait en valeur le torse puissant et les larges épaules. Les plus hardies soutenant le regard bleu au passage, les dévergondées se retournant carrément. Yann allongea encore le pas, comme un cheval qui sent l'écurie. La petite maison n'avait pas changé, c'est lui-même qui avait avant son départ repeint en vert les fenêtres et la porte, la peinture avait bien résisté aux outrages du vent et de la pluie. Son coeur battait à grands coups maintenant, il frappa et tourna la poignée sans attendre la réponse. Sa haute silhouette s'encadra dans le chambranle de la porte. Accroupie devant le feu qu'elle ravivait, Catherine tourna la tête. Yann laissa tomber sac et valise sur le sol de terre battue, en deux enjambées il fut près de sa mère qu'il souleva dans ses bras.

– Yann ! Mon petit, mon petit !

C'est tout ce qu'elle put dire, riant et pleurant à la fois, serrée dans les bras qui l'étreignaient. Yann lui aussi pleurait doucement, laissant couler ses larmes de bonheur en caressant les cheveux d'une maman sur le point de défaillir. Longtemps ils restèrent ainsi sans parler, se tenant les mains, à se regarder. C'est Catherine qui la première rompit le silence.

– Mon Yann, tu dois mourir de faim, je vais te faire quelque chose.

– Mais non maman, j'ai mangé dans le train, je t'assure.

Avec les mots, les pauvres mots de tous les jours, la mère et l'enfant reprenaient doucement contact, retrouvant peu à peu leur tendre complicité. Ils s'embrassaient encore au détour d'une phrase et les yeux de Catherine disaient ce que n'osaient pas ses lèvres : l'angoisse, la solitude, la désespérance parfois. Et Yann le savait bien qui regardait sa mère – comme ses cheveux ont blanchi – en lui tenant la main.

Catherine le trouvait encore plus beau, avec un visage moins enfantin, les traits s'étaient un peu durcis, ciselés pensa-t-elle par les épreuves endurées là-bas au delà des mers. Elle passait la main dans les cheveux coupés court de son petit. Où étaient ses boucles brunes ? Elle caressait les mains bronzées aux doigts un peu jaunis – tiens, il fume maintenant – mais le lac bleu de ses yeux était toujours le même, et Catherine bouleversée retrouvait ceux d'Yvon, l'époux jamais oublié. Pour étouffer cette douleur poignante qu'elle sentait monter en elle et qui allait l'étouffer de sanglots, elle se leva vivement faussement affairée, empoigna une casserole, y versa le contenu de la cafetière et la posa sur le trépied dans l'âtre.

– Tu vas boire un café, mon Yann, je crois qu'il y a des craquelins, tu les aimes tant. Et puis ce soir tu mangeras des moules, il y a aussi du lard dans le charnier...

Volubile, Catherine ne savait comment exprimer son bonheur. Yann était revenu. C'était comme un rêve cent fois vécu mais toujours déçu dont elle avait peur de s'éveiller encore. Yann s'était levé – mon Dieu qu'il est grand – sa mère regardait les rubans sur sa poitrine, les galons rouges sur ses manches.

– Attends maman, je t'ai apporté quelque chose !

Il posa la valise sur la table et ouvrit le cadenas qui la fermait. Il en sortit d'abord un assez gros paquet.

– C'est pour toi, maman !

– Pour moi ? Les doigts tremblants, Catherine enleva le papier gris et sortit une boîte en bois noir dont le couvercle nacré représentait une pagode, avec des fleurs et des oiseaux multicolores. Catherine, émue, caressait doucement de la main la nacre finc artistement travaillée par les doigts habiles des Tonkinois, qui fabriquaient ces boîtes en série pour les européens.

– C'est trop beau, mon Yann.

– Attends ! Tu ne l'as pas encore ouverte.

Précautionneusement, Catherine souleva le couvercle. A l'intérieur, une seconde boîte identique mais plus petite.

– Ouvre encore, maman !

Il y en avait une troisième encore plus petite mais avec les mêmes motifs de nacre. La cinquième boîte était minuscule et Catherine émerveillée sauta au cou de son garçon.

– Je n'ai jamais rien vu d'aussi beau, tu sais.

– Ce n'est pas fini, maman, dit Yann en cherchant sous les chemises. De la boîte à gâteaux où il rangeait ses lettres, il sortit une petite boîte d'allumettes. A l'intérieur, dans du coton, il y avait une bague en argent qu'il passa au doigt de sa mère. Assez lourde, elle était ornée d'une tête de dragon dont la queue torsadée entourait l'anneau. Catherine qui n'avait jamais porté que l'alliance de son mariage en fut transportée de joie comme d'un cadeau précieux. Yann avait payé quelques piastres ce bijou à l'exotisme garanti et au demeurant original. Génies du commerce, les marchands chinois avaient compris ce qu'ils pourraient gagner en faisant exécuter ces bagues à l'intention des soldats. Pour les officiers, de semblables bijoux existaient mais ils étaient en or et les yeux du dragon étaient de minuscules rubis. Le prix demandé était sans proportion avec la maigre solde accordée aux troupiers du corps expéditionnaire.

Il y avait encore un éléphant en bois, acheté à l'escale de Colombo aux petits vendeurs qui avaient pu monter à bord avec leur pacotille. Il y avait aussi, un peu froissée dans le grand sac de marin, une tunique de soie brodée de fleurs bleues et rouges qui arracha des cris d'émerveillement à Catherine. Elle la trouva si belle qu'elle se demanda si elle oserait jamais la porter.

Ils parlèrent longtemps de tout et de rien. De la guerre, Yann glissa très vite sur les batailles et les blessures, du pays et du climat. Yann, justement fier des médailles gagnées montra les citations élogieuses. Il exhiba aussi un poignard à longue lame en forme de flamme, dans son étui d'ivoire. Il omit de préciser à sa mère qu'il l'avait pris sur un pirate chinois après qu'il l'eut embroché sur sa baïonnette. Il fut aussi discret sur ses amours jaunes. Une maman ne doit pas tout savoir.

Il raconta aussi l'amitié qui le liait à un officier et les circonstances qui l'avaient fait naître, il montra les lettres du lieutenant de Valclouet. Yann ne savait pas s'il le reverrait un jour, mais le souhaitait vivement. Il lui restait dix-huit mois à accomplir. A Toulon on lui avait signifié que la gendarmerie de Saint-Malo lui enverrait en temps utile sa nouvelle affectation à l'issue de sa permission.

A son tour, Yann voulut savoir ce qu'il y avait de nouveau à Saint-Malo, comment allait tel ou tel, souriant aux anecdotes rapportées par sa mère, riant avec elle aux événements drolatiques et s'émouvant des circonstances plus ou moins poignantes d'une disparition. Ils bavardèrent jusqu'à une heure avancée, et Yann ayant tiré le rideau qui l'isolait retrouva son lit-cage et le matelas de varech. Enfoui sous les couvertures, il s'anéantit dans le sommeil. Lorsqu'il s'éveilla au milieu de la matinée, le soleil inondait la pièce. Depuis longtemps levée, Catherine apporta le café au lait fumant et ces craquelins qu'il aimait tant. Yann les beurra largement. Dans la cheminée, l'eau chauffait déjà dans une lessiveuse et la grande bassine qui servait à son père au retour de Terre-Neuve était posée par terre.

Yann ota sa chemise, dévoilant son torse bronzé. Sa mère devait partir pour faire quelques heures de ménage dans un magasin de la rue Porcon de la Barbinais. Il y avait, lui dit-elle, tout ce qu'il fallait dans le garde-manger. Yann la serra dans ses bras. Elle admira encore une fois ce beau garçon qui faisait sa fierté, et se sentit pâlir en découvrant des cicatrices sur son épaule et sa poitrine. Sans rien dire, elle se sauva très vite pour cacher son émotion.

*

* *

Yann se l'était promis, toute la première semaine de son retour fut consacrée à sa mère. Ils se promenèrent un peu partout, Catherine au bras de son fils lui montrait les travaux du port et les bâtiments nouveaux. Ensemble, pour le plaisir, ils empruntèrent le pont-roulant de son enfance construit en 1873 qui reliait Saint-Malo à Saint-Servan. Yann ne manqua pas de saluer le « capitaine » de ce transbordeur à roulettes, le père Lhotelier qui encaissait le prix du passage – 2 centimes – et soufflait dans une petite trompette pour annoncer le départ et l'arrivée. Le bonhomme, sans rancune, fut ravi de revoir le gamin qui jadis l'avait fait enrager lors des batailles épiques qui opposaient régulièrement les écoliers des deux communes voisines et farouchement rivales.

Nettoyé et repassé par Catherine, le bel uniforme de sortie avait été rangé dans l'armoire et Yann avait retrouvé avec joie ses vêtements civils. Il avait pourtant endossé la tenue bleue et coiffé le béret à pompon rouge en deux occasions. A la demande de sa mère d'abord, pour aller en chemin de fer rendre visite à ses grands-parents. L'un et l'autre, éprouvés par les rhumatismes, avaient passé le cap des soixante-treize ans mais avaient été émus aux larmes par cette visite d'un petit-fils dont les voyages et les décorations n'avaient rien enlevé de la gentillesse. La journée avait été pour eux un rayon de soleil, et à l'heure du départ le grand-père avait sorti de dessous une pile de draps dans l'armoire, un pièce de vingt francs gardée là à son intention.

C'est Yann lui-même qui avait choisi de revêtir l'uniforme pour une visite qui lui tenait à coeur. Un après-midi, il s'était présenté à la maison de la rue de Dinan où il était venu si souvent suivre les leçons du capitaine Blin. C'est la fille du vieux marin qui avait accueilli Yann. Ils avaient bavardé un peu dans l'entrée et elle lui avait confirmé les propos de sa mère, une attaque avait laissé le vieil homme à demi paralysé. Assis dans un fauteuil devant la fenêtre, il voyait par dessus les remparts la mer et l'estuaire de la Rance, avec le trafic incessant des bateaux. Il y passait ses journées et ne quittait son observatoire que pour regagner son lit, aidé par sa fille et une jeune domestique.

Lorsque Yann fut devant lui, le capitaine le regarda longuement, intensément. Péniblement, il lui fit signe de se rapprocher et le jeune homme s'agenouilla sur le tapis au pied du fauteuil, pour être à sa hauteur. Incapable de parler mais les yeux brillants d'émotion, le vieillard passa doucement sa seule main valide sur les rubans accrochés à la poitrine du matelot. Avec difficulté, la main aux veines saillantes comme des cordages se leva et vint caresser la joue de Yann dans un geste d'une étonnante douceur. Ce dernier ne put retenir ses larmes. Le capitaine Blin avait fermé les yeux, comme épuisé, et Yann s'était relevé bouleversé. Reconduit par la fille, il s'était vu remettre une pièce d'or. Il avait voulu refuser mais elle avait insisté, en soulignant combien son père était attaché à son petit élève. Il lui en parlait souvent, ajouta t-elle, avant d'être victime de cette attaque dont il ne s'était jamais remis. Yann, très ému, pensa qu'il ne le reverrait pas vivant.

Ce fut Catherine elle-même qui conseilla à son fils de sortir seul, et de se changer les idées en allant retrouver ses amis, comprenant qu'à son âge il ait envie de s'amuser un peu. Yann en convint sans peine et lorsque le soir même il poussa la porte du « Feu de Tribord », la plus fameuse taverne de la rue de la Soif, il retrouva dès l'entrée des sensations qu'il croyait enfouies au fond de sa mémoire. Dans l'atmosphère enfumée de la grande salle, seulement éclairée par la lampe verte qui avait donné son nom à l'établissement, quelques couples étroitement enlacés dansaient au rythme d'un accordéon nostalgique. Assis au comptoir, des filles et des marins bavardaient et buvaient. Au fond, dans une pénombre propice, de petites loges abritaient les amateurs de conversations discrètes. Il s'y tenait sans doute de mystérieux conciliabules, mais plus sûrement des rapprochements hardis et des reconnaissances de terrain dans les corsages et sous les jupes. Histoire d'évaluer la qualité de la marchandise.

Il était peut-être un peu tôt, mais ce n'était pas la foule des grands soirs et Yann qui jadis avait été un habitué des lieux fut surpris de n'y voir aucun visage connu. Hormis bien sûr la gueule de ruffian du patron, à peu près aussi avenant qu'une porte de prison mais dont le tafia était de première et les filles nettement moins fanées qu'ailleurs. Il semblait d'ailleurs qu'il eut rajeuni son cheptel, et Yann attarda son regard sur trois filles jeunes et fraîches qu'il jugea tout à fait comestibles. Attablées avec quatre marins étrangers, vraisemblablement allemands, elles buvaient comme eux de la bière et du schnaps en riant d'une voix haut perchée. L'une d'elles croisa le regard bleu de Yann et le soutint, provocante, avant de se pencher à l'oreille de sa voisine et de lui chuchoter quelque chose. A son tour, celle-ci leva les yeux sur le garçon assis au comptoir et lui sourit sans vergogne. Ce n'était pas dans la nature de Yann de baisser les yeux devant quiconque, et surtout pas devant une jolie fille. Amusées elles pouffèrent et la troisième qui tournait le dos au comptoir se retourna, intriguée. Les regards furibonds des quatre allemands dénotaient une absence totale d'humour, et lorsqu'ils se levèrent en repoussant leurs tabourets Yann comprit que la soirée allait être chaude.

De Hambourg ou de Saint-Malo un marin est un marin et, en d'autres circonstances, Yann eut volontiers bu un verre avec ceux-là. Telle ne semblait par leur intention et le plus costaud des quatre, sorte d'armoire prussienne aux petits yeux méchants, s'avança en roulant les épaules. A l'évidence il ne venait pas pour se présenter mais pour cogner. Yann ne lui en laissa pas le temps et lui envoya en plein visage le contenu de son verre de rhum. Un instant aveuglé par l'alcool, le colosse balança une formidable mornifle qui ne rencontra que le vide, Yann l'ayant esquivée d'un pas de côté. Emporté par l'élan, l'allemand vint percuter de sa masse le voisin du jeune homme, un grand rouquin au teint pâle, qui décolla de son tabouret. Le ton était donné. Déjà le patron avait empoigné le nerf de boeuf caché sous son comptoir. C'est alors que lancée avec une violence extrême depuis le fond de la salle, une chope en grès vint fracasser la superbe lampe verte, orgueil de la taverne. Un rugissement de plaisir monta du vaisseau en perdition plongé dans l'obscurité. Aucun marin au monde n'aurait manqué l'occasion de se sauver sans payer, et la ruée sauvage vers la sortie fit voler en éclat porte et fenêtres dans un fracas de bois et de verre brisés. Des cris aigus de femmes s'élevaient de la salle, certains consommateurs s'autorisant sans doute quelques privautés aussi anonymes que gratuites. Le « Feu de Tribord » sombrait corps et biens et fut bientôt déserté, les clients s'étant dirigés vers d'autres établissements bien éclairés ceux-là. Les chandelles allumées dans la taverne saccagée révélèrent au patron l'ampleur du désastre. Ce n'était pas cette soirée qui lui rendrait son sourire, se dit Yann. Le jeune homme s'était retrouvé parmi les premiers sur le pavé de la rue de la Soif, l'incident l'avait mis de bonne humeur mais il ne fallait pas tenter le diable. Il décida d'aller se coucher.

Depuis son départ d'Extrême-Orient, Yann n'avait pas tenu une femme dans ses bras. Les contraintes familiales et amicales, d'ailleurs acceptées avec plaisir, ne lui en avaient pas laissé le temps. Les quelques sorties nocturnes l'avaient plutôt mis en appétit mais il était resté sur sa faim. Aussi, il se mit à renouer de tendres contacts interrompus par trois ans et demi d'absence. Des petites amies de jadis, certaines n'étaient plus libres – deux d'entre-elles le regrettèrent ouvertement, une autre estima que, si Yann le voulait, cela ne changeait rien à l'affaire - d'autres avaient quitté Saint-Malo, mais il restait heureusement nombre de coeurs à conquérir. Le soir même, Yann partageait le lit d'une petite crémière de la rue de l'Orme qu'il avait jadis courtisé sans succès. Le fruit vert aux charmes acides de l'époque était devenu une fort jolie fille aux formes épanouies, et Yann subjugué avait trouvé les accents propres à la séduire, assiégeant une place qui ne demandait qu'à être investie.

Durant plus de trois années Yann s'était rassasié d'exotisme, buvant jusqu'à plus soif aux lèvres asiatiques. Il avait certes caressé des corps superbes et aimé sincèrement certaines de ses maîtresses, mais il considérait maintenant avoir quelque peu épuisé le sujet. La simplicité, la fraîcheur et les caresses de sa partenaire lui furent un renouveau et lui-même se surpassa, aussi fougueux qu'attentif, tendre que passionné. La nuit fut agréablement mais totalement blanche, et lorsqu'au petit matin la jeune fille quitta le lit dévasté pour aller travailler, lasse d'une bienheureuse fatigue, Yann se rendormit comme une masse. Les tendres assauts se répétèrent la nuit suivante jusqu'aux premières lueurs de l'aube. C'était heureusement un dimanche, mais il faisait si froid que les amants le passèrent sous les couvertures.

Ce matin-là Yann s'était levé tôt, le soleil l'ayant en quelque sorte tiré du lit. Le temps, à huit jours de Noël, était si beau que le garçon avait décidé de faire le tour des remparts. La mer était superbe et il s'était une fois encore empli les yeux du spectacle incomparable offert depuis les coursives de granit de ce somptueux vaisseau de pierres. La promenade lui avait ouvert l'appétit et il cassait une petite croûte sans manière – pain et pâté – sur le coin de la table. Sa fougueuse liaison avec la jeune crémière se poursuivait, tout de même un peu plus calme que les premières nuits, mais il rentrait dormir chez lui quelle que soit l'heure du retour. D'un commun accord les amants avaient estimé que quelques heures de sommeil devaient succéder aux prouesses amoureuses, faute de quoi ils ne pourraient tenir longtemps. Catherine, un peu inquiète de voir son fils découcher, avait apprécié qu'il soit là le matin quand elle se levait pour partir en journée. Tout allait donc pour le mieux et Yann, regaillardi par la promenade et le casse-croûte, se roulait tranquillement une cigarette lorsqu'on frappa à la porte. Sans se presser, il alla ouvrir.

Il ne portait ni casquette ni galons d'or mais Yann l'eut reconnu entre mille. Cette haute silhouette mince, cette moustache blonde et ces yeux clairs ne pouvaient appartenir qu'à Hubert de Valclouet, Lieutenant de vaisseau de la marine nationale et ami fidèle. Costumé et cravaté, tiré à quatre épingles avec canne à pommeau d'argent et sac de voyage en cuir fauve, mais c'était bien lui l'officier de Phu-Sa, le blessé du Fleuve Rouge, le commandant de la compagnie de fusiliers-marins la moins disciplinée mais la plus brave, l'ami de Hanoï, des soupers fins et des fumeries. Yann eut une exclamation joyeuse.

– Quelle surprise, Lieutenant ! Comme ça me fait plaisir !

– C'est aussi un réel bonheur, Yann, répondit l'officier visiblement très ému. Il prit le jeune homme par les épaules et le serra contre lui.

– Mais, comment ?...

– Laissez-moi d'abord vous présenter mon ami Ralph Beeston, sourit Hubert. Ralph est anglais et nous embarquons demain pour Southampton. A son invitation je vais passer Noël en Angleterre.

Yann serra la main chaleureusement tendue par l'étranger. Un peu plus âgé que l'officier, il était vêtu avec une élégance toute britannique et portait le même manteau de tweed à petits carreaux. Sincèrement heureux, quoique un peu gêné par la simplicité de la maison et des meubles, Yann les fit asseoir. Ils s'attablèrent sans façons, acceptant de bonne grâce le petit verre de cerises à l'eau de vie que Yann leur offrit. Après avoir trinqué avec ses compagnons Hubert en vint à évoquer les circonstances qui motivaient sa présence à Saint-Malo. Son ami Ralph ayant passé quelques jours dans la propriété des Valclouet en Touraine, avait à son tour invité Hubert à l'accompagner dans le Hampshire afin d'y fêter Noël. L'officier n'avait pas oublié celui qui lui avait sauvé la vie au Tonkin, et Yann lui avait si souvent parlé de Saint-Malo que l'occasion était trop belle de découvrir la ville en retrouvant l'ami.

Débarqués à Saint-Malo en provenance de Paris via Rennes, les deux hommes s'étaient fait conduire chez Yann dont Hubert s'était fait communiquer l'adresse par le bureau de la garnison de Toulon.

– J'attends un commandement, dit Hubert, et je ne sais pas encore où je serai affecté.

– Je ne sais pas non plus ou j'irai, pouffa Yann, mais je n'attends pas de commandement.

Tous les deux s'esclaffèrent, retrouvant l'ancienne complicité, et Ralph qui n'avait pas tout compris se joignit à leurs rires.

– Yann, êtes vous libre aujourd'hui ?

– Bien sûr lieut... bien sûr Hubert, se reprit-il devant le froncement de sourcils de l'officier.

– Alors voilà ce que nous allons faire. Nous allons chercher un bon, un très bon restaurant et nous déjeunerons tous les trois. Ensuite nous visiterons Saint-Malo, nous avons loué à la gare un fiacre pour la journée et retenu nos chambres à l'hôtel. Jusque là nous ne nous quittons pas, la journée est à nous, ami Yann, à nous les champs de pavots et les congaïs de Saint-Malo !

Un triple éclat de rire salua la boutade. Attelé d'un beau cheval gris, le fiacre attendait. Il était à peine midi et Yann demanda au cocher – moustaches grises, chapeau de cuir et houppelande – de les promener en ville, sur le port et le Sillon avant de revenir à la porte Saint-Vincent. Le restaurant de « La Duchesse Anne », choisi par Hubert impressionna Yann qui ne le connaissait, et pour cause, que de réputation, mais entouré de la chaude sympathie de ses compagnons, il fut très vite à l'aise. Des huitres de la Baie aux dindonneaux truffés, en passant par la langouste en Bellevue et la selle d'agneau, le menu était il est vrai de nature à épanouir le plus morose des convives. Et Yann n'était pas de ceux-là, d'autant plus que le Vouvray, le Saint-Estèphe et le champagne firent monter la température de plusieurs degrés.

Yann n'avait de sa vie fait pareil repas. S'il baignait dans une douce béatitude, il restait parfaitement lucide et observait intelligemment le comportement de ses compagnons, pour ne faire aucune faute de goût. Le jeu des multiples couverts, la façon de tenir son verre et jusqu'à la manière de couper le bout de son havane à l'heure des liqueurs n'auraient appelé aucun reproche. Bâti à chaux et à sable Yann pouvait boire énormément et garder la tête froide, mais ce jour là il était resté volontairement très en-deçà de ses possibilités.

Sans perdre une once de sa dignité, l'anglais, lui, était saoul comme une bourrique. Tout au long du déjeuner, il avait vidé son verre avec une rapidité qui avait surpris le maître d'hôtel pourtant blasé. Cul sec à chaque fois. Pour l'heure il venait d'ingurgiter d'un seul trait une vieille fine ambrée, ce qui n'eut pour effet que de colorer un peu plus un teint devenu brique au fil du repas. Il écoutait les propos de ses compagnons, souriant parfois au détour d'une phrase, mais Yann était persuadé qu'il n'y comprenait goutte parce qu'imbibé comme une éponge.

Ce n'était pas le cas du Lieutenant de Valclouet. Non qu'il méprisât la table et ses délices – Hubert l'avait vu s'encanailler avec élégance dans des bouges asiatiques – mais il était tout à la joie des retrouvailles et parlait plus qu'il ne buvait. Sans jamais être indiscret, il avait questionné Yann sur sa vie à Saint-Malo, ses distractions, ses espoirs et ses projets d'avenir. Signerait-il un nouvel engagement à l'issue des dix-huit mois restant à effectuer ? Yann dut avouer qu'il ne s'était pas encore posé la question, mais concéda que son goût des voyages était loin d'être assouvi. Se défendant de vouloir influencer son ami, l'officier observa que la marine offrait dans ce domaine d'intéressantes possibilités.

– Parlons du présent, mon cher Yann. Je reviens à Saint-Malo dans une quinzaine et je vous propose de partir avec moi pour la Touraine. Je serais heureux et fier de présenter à mes parents celui qui, par son courage, leur a gardé un fils. Et je sais qu'ils vous réserveront le meilleur accueil. A mon tour de vous faire découvrir mon pays natal, bien loin de la mer certes, mais plein de charme et de douceur. Il faudra bien quinze jours pour en admirer tous les attraits. Dites oui, Yann ! Je vous affirme que rien ne me ferait plus plaisir.

– Eh bien ... C'est entendu !

– Bravo Yann ! Ne vous faites aucun souci pour les questions... d'intendance. Je vais m'occuper de tout cela, et dans l'immédiat je propose que nous arrosions au champagne notre prochaine expédition... en Touraine !

Le seul mot de champagne avait allumé l'oeil de Ralph Beeston, et Yann ne put qu'admirer son étonnante faculté de récupération. Ils trinquèrent joyeusement, tandis qu'Hubert s'éclipsait discrètement pour régler l'addition. Tous trois gagnèrent à pied l'esplanade où les attendait le fiacre, et l'air vif dégrisa totalement l'anglais. Au rythme des sabots martelant le pavé, la promenade les mena de Saint-Servan jusqu'aux hauteurs de Paramé. Hubert et Ralph se promirent de revenir en été dans cette région si attachante, notamment pour assister aux régates traditionnelles qui passionnaient les foules. Il était presque sept heures lorsque le fiacre les déposa devant le superbe hôtel récemment construit en front de mer près du Casino. Hubert et Ralph y avaient réservé leurs chambres. A la demande de l'officier, Yann les accompagna jusqu'au salon de réception dont les grandes baies vitrées dominaient la plage et la mer. La nuit était bien noire maintenant mais les phares, gardiens de l'océan, trouaient l'obscurité et la rumeur des flots contre la digue n'arrivait qu'assourdie dans ce salon douillet. Enfoncé dans le cuir du fauteuil, Yann sirotait à petites gorgées le vieux porto commandé par Hubert, il se sentait délicieusement bien.

– Yann, êtes-vous déjà allé au Casino ? Est-ce que ça vous plairait ?

– Oui, je crois que j'aimerais bien, mais... mon cher Hubert, je crains que ma tenue...

– Nous allons arranger cela, ami, accompagnez-moi jusqu'à ma chambre.

Silencieux et moquetté de rouge, l'ascenseur électrique les propulsa à l'étage supérieur. Flanquée d'un petit salon et d'une salle de bains, la chambre était somptueuse et Yann en admira la décoration aux tons pastels. Hubert cherchait dans sa grande malle-penderie et arrêta son choix sur un costume sombre.

– Nous sommes pratiquement de la même taille, observa Hubert, évidemment pour les épaules... Passez à côté et essayez-le. Prenez aussi cette chemise !

Dans la salle de bains Yann enfila tour à tour chemise et pantalon. La veste était effectivement un peu étriquée question carrure, mais à condition de ne pas la boutonner ni de lever les bras au ciel, ça irait. Le col de chemise était incontestablement inférieur de deux tailles au tour de cou du jeune homme, mais fermé par la cravate, on n'y verrait que du feu. Devant la glace, Yann avait du mal à se reconnaître ainsi attifé et trouva qu'il avait l'air d'un pingouin. Finalement il se jugea plutôt élégant. Hubert fut de cet avis.

Verre de porto en main, Yann attendit le retour de ses compagnons partis se changer à leur tour. Lorsque l'officier parut en smoking, avec cette élégante désinvolture que lui enviait le jeune homme, Yann se fit l'effet d'un péquenaud endimanché. Avec autant de chaleur que de délicatesse, Hubert le mit rapidement à l'aise et le trio, en pleine forme, gagna le Casino aux lumières scintillantes.

Pour la première fois Yann entrait dans cet établissement réputé où les spectacles et le jeu attiraient la grande foule, surtout en saison estivale. En fait de temple du jeu, il n'avait guère fréquenté que les tripots enfumés d'Extrême-Orient, et son expérience s'était limitée aux dominos chinois – le mah-jong – et au poker où sa trop grande naïveté l'avait fait plumer rapidement. Aussi, c'est le coeur battant qu'il regardait autour de lui les hommes et les femmes en tenue de soirée se promener négligemment du grand salon au fumoir. Ils dînèrent légèrement, huitres et turbot au beurre blanc, avant de gagner la salle de jeu. Yann était songeur, Hubert lui ayant expliqué que le jeu existait depuis la nuit des temps et que les archéologues avaient démontré que les hommes préhistoriques jouaient déjà aux osselets. Il fut aussi surpris en apprenant que la salle de jeu était interdite aux femmes, et le regretta sincèrement.

Hubert et Ralph étaient allés changer de l'argent, et Yann qui n'avait pas un centime sur lui s'était approché de la table de roulette où se pressaient des hommes jeunes et vieux, mais tous bien habillés. Yann se dit que son pantalon de toile et son caban restés à l'hôtel lui auraient sûrement valu d'être refoulé à l'entrée. Un peu à l'étroit dans la veste prêtée il évitait les mouvements brusques, mais enchanté de sa journée il se sentait pleinement heureux. D'abord, la vivacité et l'adresse du croupier dont le râteau poussait ou raflait les plaques l'avaient intéressé. C'était maintenant le visage des joueurs qu'il regardait fasciné, et leurs yeux qui suivaient la petite boule d'ivoire lancée dans la cuvette tournante. Yann voyait aussi des mains tremblantes se crisper sur le tapis aux cases chiffrées, alors que la boule allait dispenser le bonheur ou la désespérance.

– Mon cher Yann, rouges ou noires vous avez trente-sept raisons – autant que de cases – de gagner ce soir. Amusez-vous !

Hubert lui glissa une poignée de plaques de métal dans la main et s'éloigna. Yann voulut refuser le cadeau généreux mais comprit que ce serait inutile. Il jeta un coup d'oeil sur la somme gravée sur chacune des plaques, elle représentait plusieurs mois de salaire d'un ouvrier de Saint-Malo. Yann les enfouit dans ses poches et s'approcha de la table. Ralph avait misé sur le numéro sept, ce fut le huit qui sortit. Obstiné, il le rejoua cinq fois de suite sans plus de succès ce qui ne lui fit pas perdre son flegme. C'est lorsqu'il misa sur le numéro treize que le sept sortit enfin, mais Ralph sourit de plus belle en voyant que son ami Hubert l'avait joué au bon moment. C'est le coeur battant à se rompre que Yann décida de jouer le numéro vingt-deux, celui de son âge. Le râteau du croupier fut impitoyable lorsque la boule s'arrêta au quatorze, et Yann sentit que le sang se retirait de son visage. Je suis trop con, pensa t-il, avec ce que je viens de perdre, j'aurais pu en faire des choses. Il énumérait mentalement tous les bonheurs perdus : repas, sorties, costumes, voyages... Fataliste il ne s'attarda pas trop longtemps en regrets superflus. Sur le conseil de son ami Hubert qui de loin avait assisté à son échec et compris son désarroi, il rejoua, perdit et rejoua encore.

– Allez Yann ! Mettez tout sur le vingt-deux !

Il obéit. Comme dans un rêve il voyait les plaques sur le tapis, ses trois dernières. Il ne regardait pas la boule mais l'entendait tourner dans la cuvette et rebondir d'une case à l'autre, elle n'allait donc pas s'arrêter ?

– Vingt-deux !

La voix monocorde du croupier fut une musique céleste à l'oreille de Yann, et son râteau magique une corne d'abondance qui poussait vers lui une montagne de plaques. Comme d'un coup de poing au creux de l'estomac, il avait le souffle coupé par l'émotion et c'est dans une sorte de brouillard qu'il entendait les voix d'Hubert et de Ralph le féliciter.

– Ce n'est pas possible, Hubert, je n'ai pas gagné tout ça ?

– Bien sûr que si, tout cela est à vous mon cher.

– Nous allons partager, c'est avec votre argent que j'ai gagné. Je n'avais pas un sou sur moi.

– Pas question Yann, pour apaiser vos scrupules j'accepte seulement que vous me rendiez les quelques plaques avancées tout à l'heure. Je ne veux rien d'autre ! Sinon mon costume quand nous regagnerons l'hôtel, et peut-être un dernier verre de champagne. D'accord ?

– Hubert, laissez-moi vous dire que vous êtes le plus merveilleux des amis et que je donnerais ma vie pour vous.

C'est avec gravité que Yann prononça ces dernières paroles. Hubert en eut les larmes aux yeux.

– Je sais, Yann, je sais que vous êtes sincère. Je serai toujours votre obligé, merci de votre amitié !

– Je crois bien qu'Hubert à parlé de champagne, glissa Ralph pour détendre l'ambiance. Nous allons arroser à la fois la bonne fortune de notre jeune ami et aussi la mienne. Car je dois avoir désormais une chance extraordinaire en amour, puisque j'ai perdu ce soir l'équivalent d'un troupeau de vaches !

Un gigantesque éclat de rire secoua les trois hommes qui se dirigèrent vers la caisse. En échange de ses plaques Yann reçut trois cent cinquante francs, une véritable fortune. Le veilleur de nuit de l'hôtel regarda d'un oeil amusé ces messieurs hilares, avec chacun leur bouteille de champagne. Il ne s'étonna même pas lorsque le plus jeune d'entre-eux sortit une heure plus tard vêtu comme un marin du port. Yann était littéralement sur un nuage, cette journée avait été tellement extraordinaire. Dans la nuit froide son pas sonnait sur le pavé. Tant d'évènements heureux s'étaient succédés depuis le matin qu'ils se bousculaient dans sa mémoire, l'arrivée de son ami Hubert et de l'anglais, le déjeuner somptueux – en passant devant le restaurant fermé à cette heure, il le salua – la promenade, l'hôtel, le Casino, la roulette... Bon Dieu, quelle journée ! Il sentait les billets qui faisaient un petit matelas dans la poche intérieure de son caban, fermée par une épingle de nourrice. Une seule contrariété, mais elle n'était pas de taille à assombrir cette journée prodigieuse. Lorsque Yann était sorti du Casino, il avait brandi vers le ciel sa bouteille de champagne en signe de victoire et la veste du costume prêté par Hubert s'était décousue dans le dos. Du haut en bas.

Sur le quai Saint-Louis, le steamer de la Southwestern accueillait les passagers en partance pour Southampton. La voiture de l'hôtel Franklin s'arrêta au pied de l'échelle de coupée et deux gentlemen en descendirent, impeccablement habillés. Le cocher monta leurs bagages à bord, redescendit et prit congé des voyageurs. Au moment où ayant satisfait aux formalités d'embarquement, ils s'apprêtaient à gravir l'échelle ils s'entendirent héler. C'était Yann qui avait tenu à venir saluer ses amis. Les mains en porte-voix, il leur souhaita bon voyage et bon Noël. Hubert le remercia et cria à son tour : « A bientôt Yann, je reviens vous chercher dans quinze jours. Joyeux Noël ! » La sirène du navire couvrit de sa voix grave le dialogue impromptu.

*

*   *

– C'est bien vrai, mon Yann ? Tu me dis bien la vérité ?

Lorsqu'elle avait entendu à son réveil le récit de son fils, Catherine s'était montrée quelque peu sceptique. Tout cela était si invraisemblable, les contes de fée n'existent que dans les livres. Et les billets de banque exhibés comme preuve avaient autant de raisons de l'inquiéter que de la rassurer. Peu à peu Yann avait su la convaincre en lui rappelant qu'il n'avait jamais trahi sa confiance. Catherine voyait le doigt de la Providence dans cette succession miraculeuse de bénédictions. Yann était plus enclin à attribuer à la chance, l'aventure hors du commun qu'il venait de vivre.

Ce fut un merveilleux Noël pour Catherine et Yann. Fête sacrée d'abord, avec la messe de minuit où prièrent ensemble la mère et le fils. Sacrée fête ensuite avec les cadeaux et le souper fin dans un grand restaurant. La finesse des mets émerveilla Catherine, très digne dans la belle robe offerte par son fils, mais elle faillit être malade lorsqu'elle sut le lendemain le prix payé pour ces agapes fastueuses.

La chaîne en or offerte à la petite crémière sécha ses larmes. Elle avait sangloté longtemps à l'annonce de ce voyage en Touraine qui éloignerait de Saint-Malo son bel amoureux. Et puis, Yann pensa un peu à lui. Il alla jusqu'à Dinan pour s'habiller de pied en cap et n'oublia rien de ce qui fait l'élégance masculine. Comme un enfant, il s'extasiait en essayant costumes, chemises et cravates. Le jour de l'An, il emmena encore sa mère déjeuner au restaurant, mais Catherine avait cette fois choisi un établissement nettement plus modeste du côté de Rocabey. Pour préparer son prochain voyage, Yann tint à arroser les plats choisis – boudin et oie rôtie – d'un délicieux petit vin de Touraine.

A perte de vue, la Beauce déroulait ses immenses plaines. Derrière la vitre du compartiment de première classe, Yann ouvrait de grands yeux en contemplant ce paysage monotone et pourtant majestueux. Hubert lui avait expliqué qu'il voyait là le grenier à blé de la France, et le jeune homme imaginait ces plaines blondes des épis de l'été. Le train filait vers Orléans à travers la campagne déserte et la fumée de la locomotive montait droit au ciel dans la froidure de janvier.

Deux jours plus tôt, fidèle à sa promesse, Hubert de Valclouet était venu chercher Yann à Saint-Malo. En connaisseur il avait apprécié la nouvelle garde-robe de son ami et l'avait félicité pour son goût très sûr. Yann avait été sensible à ce compliment qu'il savait sincère. De Saint-Malo à Rennes et de Rennes à Paris, ils avaient longuement bavardé. Hubert avait fêté le Christmas traditionnel cher aux britanniques dans la vaste propriété de Ralph Beeston à Winchester. Ce dernier possédait d'importants troupeaux de moutons et une filature qui en commercialisait la laine. L'officier avait aussi évoqué sa Touraine natale et dit sa joie de la faire découvrir à son ami breton.

A la gare d'Amboise un homme aux longues moustaches vêtu d'un costume de velours noir attendait les voyageurs. Il tenait à la main sa casquette et salua respectueusement les deux hommes.

– Tout va bien à la maison, Gauthier ? demanda l'officier.

– Tout va bien, Monsieur Hubert.

Il avait empoigné les bagages et se dirigeait vers une carriole attelée d'un vieux cheval bai. Hubert et Yann s'assirent sur la banquette arrière, et Gauthier fit claquer son fouet.

Depuis Blois, Yann avait admiré le paysage infiniment varié de forêts et de landes jusqu'aux côteaux d'Amboise. La Loire l'impressionna plus encore. Hubert parlait en poète de ce fleuve sauvage et indomptable, profond et mystérieux. Au passage, il montrait le château fameux construit par Charles VIII à la fin du quinzième siècle, et évoquait la conjuration de 1560. La plupart des conjurés, assura t-il à Yann, avaient été exécutés à l'intérieur même du château.

La calèche avait franchi la grille d'une propriété ceinte de hauts murs. Après avoir suivi une allée bordée de grands arbres, elle s'arrêtait au pied d'un double escalier de pierre qui conduisait à un vaste perron. Flanquée d'une tour, la maison avait grande allure.

– Elle a plus de deux siècles, affirma Hubert, et a été construite sur les ruines d'un château qui était déjà dans notre famille.

Yann se dit qu'après tout, les remparts de Saint-Malo étaient beaucoup plus vieux et qu'ils étaient toujours debout. Il n'eut pas le temps de comparer les mérites respectifs des bâtisseurs de Bretagne et de Touraine, les parents d'Hubert – ce ne pouvait être qu'eux – venaient d'apparaître sur le perron. A grandes enjambées, l'officier escaladait les marches. Il embrassa sa mère puis son père et se retourna vers Yann planté au bas de l'escalier.

– Venez nous rejoindre, Yann ! Mon père, maman, permettez-moi de vous présenter le quartier-maître Yann Bellec. Je lui dois d'être encore en vie. Il s'est couvert de gloire au Tonkin et en Chine, et... je suis fier d'être son ami.

– Soyez le bienvenu dans notre maison, dit simplement le père de l'officier. Notre fils nous a souvent parlé de vous, et je vous félicite pour votre courage.

Quelque peu intimidé, Yann serra la main que lui tendait l'homme de haute taille, au regard perçant sous des sourcils épais, strictement vêtu de noir.

– Permettez-moi de vous embrasser, je sais combien mon fils a d'estime pour vous, ajouta la mère, c'est une maman qui veut vous remercier aujourd'hui. J'espère que vous passerez un agréable séjour.

– Je vous remercie, madame, bredouilla le jeune homme plutôt mal à l'aise. Une bourrade affectueuse de son ami lui rendit un peu de sérénité, et tous quatre entrèrent dans la maison.

La photographie d'Hubert en grand uniforme, épaulettes à franges d'or et sabre de parade, était la seule concession faite à la marine. Tout ici était à la gloire de la plus noble conquète de l'homme, jusqu'au tableau représentant le maître de maison portant l'uniforme prestigieux du Cadre Noir de Saumur. Une vieille gouvernante avait conduit Yann à sa chambre, où trônait un lit à baldaquin et dont les fenêtres donnaient sur un parc ombragé. Hubert l'avait accompagné là-haut, attentif et amical.

– Yann, il faut vous détendre. Vous êtes ici chez vous. Dès demain je vous montrerai ma Touraine, et je sais que vous l'aimerez. Rafraîchissez-vous, mettez-vous à l'aise. Nous dînons à sept heures, descendez quand vous le voulez. A tout à l'heure !

Du hamac au bat-flanc de bois Yann avait dormi dans de multiples couches, mais un lit à baldaquin se rencontre rarement dans la marine et c'est avec autant de respect que de précautions qu'il s'allongea sur celui-là. Il avait dû en voir des choses depuis tant d'années ce lit vénérable, entendre des cris d'amour et des râles d'agonie. Yann sourit à cette pensée et le martela du poing, en tout cas il était moelleux. Dans le cabinet de toilette attenant, Yann se lava le visage et les mains et décida de se changer. Gris à fines rayures, son plus beau costume remplaça celui qu'il portait depuis Saint-Malo et qui accusait – fripé et charbonneux – la fatigue du voyage en chemin de fer. Une chemise propre, blanche au faux-col rigide, et une cravate gris clair transformèrent presque en dandy le jeune homme. Les mains dans les poches du gilet il prit des poses devant le miroir, assez content de lui. Il se dit qu'il lui manquait peut-être une montre avec une chaîne, comme en portait Hubert. Mais ce n'était qu'un détail, et puis il y avait des pendules partout dans cette maison. En sifflotant, Yann sortit de sa chambre.

Une longue galerie ornée de portraits surplombait le grand salon, Yann s'arrêta devant chacun d'eux. Beaucoup d'officiers, surtout des cavaliers en uniforme à brandebourgs de hussard ou de chasseur à cheval. Il lui sembla qu'ils avaient un air de famille avec Hubert, mais ces militaires – comme les civils d'ailleurs – n'avaient pas le sourire. Solennels et figés, ils ne devaient pas être de joyeux drilles. Au milieu des portraits, un panneau majestueux retint son attention. Il portait les armoiries des Valclouet dont le blason « d'azur au lion d'argent » était surmonté de la couronne comtale aux neuf perles. Dans une vitrine un parchemin jauni était écrit en vieux français, Yann commença à lire : « Henry, par la grâce de Dieu, Roy de France et de Pollongne à tous présents et advenir, salut. Comme l'état de Cestuy nostre royaume s'est maintenu en son entier principallement par le moyen et ayde de la noblesse, aussi nos prédécesseurs Roys non seullement ont eu esgard d'entretenir les nobles de leur royaume, en leurs droietz, dignitéz et prérogatives, mais aussi, selon qu'ils ont congneux iceux bien mériter d'eux et de leur couronne, ont pensé de les eslever en biens et honneurs... »

Yann n'alla pas plus loin, cette lecture difficile le rebutant quelque peu. Le texte était long et se terminait par « ... Donné à Paris au moys de juin, l'an de grâce 1575 et de notre règne le 2ème. Signé Henry. Sur le repli : par le Roy : de Neufville. »

Ecrit depuis plus de trois siècles, le parchemin laissa Yann rêveur. Il ne s'était jamais interrogé sur la chevalière armoriée que portait en toutes circonstances Hubert de Valclouet. Celui-ci n'en avait d'ailleurs pas plus fait état, et la solide amitié qui liait les deux homme ne devait rien aux hasards de la naissance. Yann continua d'arpenter la galerie des ancètres. Comme un gosse, il ne put s'empêcher de tirer la langue à l'un deux dont les sourcils en accent circonflexe lui donnaient un air particulièrement rébarbatif. C'est alors que, lointaines mais tout à fait mélodieuses, lui parvinrent en cascade des notes de musique qui stoppèrent net son geste irrévérencieux.

Hormis l'accordéon dans les boîtes à matelots, l'orgue de la cathédrale ou le clairon qui sonnait l'assaut, Yann ignorait pratiquement tout de la musique. Celle-ci le toucha au coeur par sa grâce et sa douceur. Qui pouvait jouer ainsi ? Hubert ? Yann n'avait jamais entendu dire qu'il jouât de quelque chose. Son père ? Allons donc ! Celui-là ne devait être sensible qu'aux trompettes de cavalerie. Ce ne pouvait être que sa mère. Yann descendit doucement le grand escalier aux marches recouvertes d'un tapis rouge fixé par des barres de métal doré. Il traversa le grand salon vide. La musique se faisait plus proche et les notes s'égrenaient délicieuses sous les doigts d'un pianiste virtuose. Il sembla à Yann qu'il n'avait jamais rien entendu d'aussi beau, et il s'arrêta sur le seuil d'un petit salon pour ne pas rompre l'enchantement.

Elle lui tournait le dos, mais la femme assise au piano ne pouvait qu'être jeune tant sa silhouette était gracile. De longs cheveux blonds tombaient sur le col marin de sa robe bleue, et ses doigts fins caressaient le clavier avec une infinie délicatesse. Yann s'avança le plus doucement qu'il put, mais le parquet grinça sous ses pieds et la pianiste interrompant son jeu se retourna vers lui. Elle avait de grands yeux clairs et des pommettes hautes dans un visage à l'ovale parfait.

– Continuez, je vous en prie, osa t-il.

Elle sourit avec tant de grâce que le jeune homme en fut chaviré, et fit à nouveau courir ses doigts sur le clavier. Yann s'était approché, subjugué par cette musique céleste autant que par son interprète.

A la dernière note succéda un long silence que rompit la jeune fille.

– Vous aimez Franz Liszt ?

– Beaucoup, affirma sérieusement Yann qui entendait ce nom pour la première fois, surtout dans cette mélodie.

– C'est vrai que le Rêve d'Amour est romantique à souhait, concéda t-elle, et j'ai toujours plaisir à le jouer.

Elle se leva et tendit sa main d'un geste grâcieux.

– Vous êtes Yann, n'est-ce-pas ? Vous êtes exactement comme je l'imaginais.

Très clairs, ses yeux étaient vert d'eau. Un peu comme la mer quand le ciel est gris, pensa t-il. Il la fixait intensément de son regard bleu, un peu gênée elle détourna le sien.

– Mon frère m'a bien souvent parlé de vous depuis son retour, je sais qu'il vous aime beaucoup.

Yann réfléchissait à toute vitesse. Il n'avait pas souvenance qu'Hubert lui ait jamais parlé d'une soeur. Ou alors il n'y avait pas prêté attention. En tout cas, la surprise était de taille et bien agréable d'une superbe créature dans cette maison austère. Il n'eut pas le temps d'exprimer la joie qu'il avait de cette rencontre, Hubert venait vers eux les bras tendus.

– Ah ! Je vois que vous avez fait connaisssance. Dites-moi mon cher Yann, sourit-il, comment trouvez-vous ma petite soeur ?

– Très belle, dit Yann aussi spontané que sincère.

– Eh bien ! Voilà un jugement qui a le mérite de la franchise. Je crois qu'il est temps de passer à table maintenant.

Dans la grande salle à manger lambrissée, le cérémonial du Bénédicité récité par le colonel-comte Honoré de Valclouet préluda au repas. Un peu dérouté Yann s'y conforma de bonne grâce, calquant son attitude sur celle de ses voisins de table. Il fit honneur au menu simple mais copieux servi par la vieille gouvernante. Si le séjour d'Hubert en Angleterre meubla l'essentiel de la conversation, chacun fut attentif à ce que Yann ne se sente pas intrus. Les parents lui parlèrent fort aimablement de la Bretagne et de Saint-Malo et le repas se déroula plutôt agréablement, arrosé de Vouvray et de Bourgueil, Touraine oblige. On servit le café dans le petit salon, mais hélas sans la jeune fille de la maison que son père avait autorisé à se retirer. Hubert exposa son plan de découverte de la région établi pour son ami Yann, et débattit avec son père des visites et des lieux qu'il importait de ne pas manquer.

– Si vous le permettez, père, je ferai atteler Altaïr à la calèche, car demain nous aurons à faire pas mal de chemin. Il ajouta en souriant, j'ai vu que le pauvre vieux Poulot avait du mal à rallier la maison depuis la gare.

– Bien sûr, tu demanderas à Gauthier de s'en occuper et de prévoir un bon picotin, mais par Saint-Georges ne fais pas galoper ce cheval !

– Ne craignez rien, père, je suis un marin mais je descends d'une telle lignée de cavaliers que je faillirais si je ne savais maîtriser un cheval.

Chacun se retira dans sa chambre. Yann put enfin se libérer du carcan de son faux-col, et c'est avec délice qu'il se glissa sous la courtepointe damassée. Longtemps avant qu'il ne s'endorme, il fut hanté par un visage et une musique qu'il savait ne plus pouvoir oublier. Bien plus qu'au vin de Touraine Yann s'était grisé aux yeux clairs étrangement beaux de cette jeune fille, jusqu'alors inconnue. Le sommeil l'emporta enfin, et il n'entendit pas le hululement d'une chouette dans le bois voisin.

*

* *

Sous le ciel limpide de Touraine la vie s'écoule douce et paisible, comme est la Loire à Amboise contenue par de puissants quais de pierre. Mais comme le fleuve indomptable qui, vers Langeais, s'étale impétueux et déborde en crues sauvages, la vie dans ce pays béni des Dieux peut être aussi tumultueuse et traversée d'orages. Jour après jour, guidé par son ami, Yann en découvrait les aspects contrastés. Des coteaux ensoleillés où murissent les grappes dorées il voyait avec stupéfaction s'élever d'insolites fumées, celles des habitations – troglodytiques lui dit Hubert – creusées dans les cavernes et les anfractuosités de la roche entre Luynes et Langeais. Il admirait la beauté des châteaux et des églises, les vallées où le fleuve avait apporté ces alluvions qui faisaient pousser les plus suaves légumes du Jardin de France. Hubert lui montrait aussi sur les murs des églises et des maisons les marques tragiques laissées par les grandes crues meurtrières, mais il évoquait aussi le vendômois Ronsard – prince des poêtes – et ses sonnets à Cassandre et le truculent Rabelais né à Chinon la belle. Tout près d'Amboise, au manoir du Clos-Lucé, était mort l'illustre Léonard de Vinci venu à la demande du roi François 1er, protecteur des arts de la Renaissance.

Isabelle de Valclouet avait dix-huit ans, c'est elle-même qui l'apprit à Yann lorsqu'elle accompagna son frère et son ami lors d'une promenade. Hubert avait sollicité de ses parents la permission d'emmener sa jeune soeur avec eux le lendemain. Accordée avec quelque réticence, la réponse favorable avait pareillement fait briller les yeux des deux jeunes gens, et Yann une fois encore fut long à trouver le sommeil. La journée fut un enchantement, et Hubert comprit très vite l'attirance mutuelle qu'éprouvaient sa soeur et son ami. Dans l'église de Saint-Denis-Hors, Isabelle montra à Yann une statue couchée, en pierre, surnommée la femme noyée, réalisée au seizième siècle par Francesco Primaticcio qu'on appelait le Primatice. Elle lui en conta la légende. Venu lui aussi à l'appel de François 1er, le sculpteur était accompagné de sa jeune femme dont il était très épris. Lors d'une promenade en bateau sur la Loire, en voulant rattraper la colombe qu'elle tenait au poing elle tomba dans le fleuve et se noya. On retrouva son corps le lendemain sur un banc de sable, et l'artiste déchiré par la douleur tailla immédiatement dans la pierre cette statue qui la représente telle qu'on la trouva, nue et les yeux fermés par la mort

Habituellement peu enclin au romantisme, Yann avait été bouleversé par la légende si joliment contée comme il l'avait été par la musique d'Isabelle le soir de son arrivée. Avec un peu d'ironie, Hubert observait cette transformation du garçon qu'il connaissait paillard et mécréant en agneau touché par la grâce. Ils visitèrent des abbayes aux jardins délicieux et goûtèrent au vin exaltant des coteaux de Touraine dans une auberge, ancien rendez-vous de chasse de la Renaissance. Lorsqu'il revinrent à la propriété familiale dans la calèche tirée par Altaïr le bel alezan, le jour déclinant faisait l'ombre propice et Hubert vit sans trop de surprise que les deux jeunes gens se tenaient la main.

Les quelques jours suivants passèrent trop vite au gré de Yann, et Isabelle ne fut plus autorisée à se joindre aux promenades quotidiennes des deux hommes. Indulgent aux frasques des garçons, le comte de Valclouet tenait à l'éducation rigoriste des filles. Lorsqu'un soir Isabelle fut conviée par ses parents à se mettre au piano, Yann en fut éperdu de bonheur. Une fois encore s'égrenèrent les notes exquises du Rêve d'Amour, et Yann lut dans les yeux vert d'eau qu'elle n'avait joué que pour lui. La veille de son départ, grâce à l'affectueuse complicité du frère ainé, ils purent se retrouver quelques minutes sous les arbres du grand parc. Yann déclara son amour à la jeune fille bouleversée d'émotion, disant qu'il l'attendrait et qu'il ne cesserait pas de penser à elle. Elle avoua à son tour sa tendre inclination, mais ses yeux l'avaient dit avant elle. Avec l'audace et l'imagination des amoureux, elle lui demanda de lui écrire en adressant la lettre au garde-chasse de la propriété, il devrait simplement souligner de deux traits le nom de Gauthier. Celui-ci saurait alors que la lettre était destinée à la petite demoiselle, surnom affectueux qu'il lui donnait depuis l'enfance. Yann jura qu'il en serait ainsi, et un long baiser passionné scella le serment. Le lendemain à l'heure du départ Yann prit congé de toute la famille. Il remercia vivement les parents d'Hubert pour leur accueil chaleureux, et lorsqu'en s'inclinant il serra la main d'Isabelle il vit tant d'amour dans l'eau claire de ses yeux qu'il en fut ébloui. Il aurait voulu crier son bonheur mais il devait rester secret. Une dernière fois, il s'emplit les yeux de ce décor où il venait de trouver l'amour, pour en graver le souvenir précis dans sa mémoire. De la propriété jusqu'à la gare il resta silencieux, et Hubert comprenant sa tristesse respecta ce silence. Avant que le train ne l'emporte loin de cette Touraine où il n'aspirait désormais qu'à revenir, Yann serra très fort son ami dans ses bras sans parler, puis il l'embrassa. Comme un frère.

Cent mille soleils dans le cœur et la tête bruissante de chants d'oiseaux, Yann avait regagné Saint-Malo. Depuis trois semaines une cascade d'événements heureux avait bouleversé sa vie, avec la révélation fulgurante et sublime d'un amour partagé. Pour la première fois de son existence, la joie de retrouver son pays natal ne fut pas sans mélange. Celle qu'il aimait déjà passionnément était si loin de lui et Yann ne cessait de l'imaginer dans son décor désormais familier. Que faisait-elle à ce moment précis ? Ses doigts caressaient-ils doucement les touches d'ivoire du piano dans le petit salon ? Il lui semblait entendre encore les notes cristallines égrener le Rêve d'Amour de ce compositeur hongrois dont le nom lui échappait. Amoureux sans presque rien savoir d'elle, Yann laissait libre cours à son imagination vagabonde, échafaudant d'impossibles rencontres et de mirifiques projets d'avenir. L'unique baiser obtenu d'Isabelle avait sans doute enflammé ses sens, mais lui avait plus encore fait prendre conscience d'être profondément, passionnément, follement amoureux. Avec ce curieux mélange de désir et de respect ressenti pour la première fois, ne laissant pas d'étonner d'un garçon qui, de Paramé à Fou-Tcheou, avait gaillardement troussé les dames et les demoiselles rencontrées sur sa route.

Il n'est jamais facile de cacher à une maman les élans d'un coeur épris. Alternant l'exaltation et la mélancolie, parfois plongé dans d'inhabituelles rêveries, Yann ne pouvait qu'être amoureux. Catherine lui avait connu plusieurs aventures, mais n'avait jamais observé un tel comportement. Le besoin naturel de partager un bonheur trop grand pour qu'on le garde seul, amena le garçon à se confier à sa mère. Nul n'aurait pu mieux le comprendre qu'une maman aussi proche de son fils, et qui tant d'années plus tard retrouvait en lui cette exaltation passionnée qui l'avait habitée elle-même lorsqu'elle avait rencontré le père de son enfant.

Idéalisant, sublimant son bel amour lointain, Yann racontait, décrivait, expliquait à Catherine au sourire indulgent cette jolie demoiselle qui était la soeur de son ami l'officier, et qui jouait divinement du piano dans une propriété entourée de grands arbres. Intelligemment, Catherine n'aborda jamais les multiples obstacles créés par le rang, la situation et la fortune que son Yann eut balayé d'un revers de mains. Est-ce que tout cela compte lorsqu'on est fort d'un amour partagé ? Elle n'oubliait pas qu'elle-même avait dû en son temps convaincre ses parents, et qu'il lui avait fallu plaider sa cause. Une démarche facilitée par un amour profond et réciproque mais aussi par une majorité légale à laquelle on ne pouvait rien opposer.

Aimer et vouloir épouser une jeune fille de dix-huit ans, de famille noble et fortunée, fille et soeur d'officiers, demeurant à des centaines de kilomètres, lorsqu'on est un garçon, certes beau et honnête, mais sans le sou et sans métier, simple matelot – fut-il de 1ere classe et décoré – aux perspectives d'avenir pour le moins incertaines, était une entreprise difficile et paraissait relever de la gageure. Pour rien au monde, Catherine n'eut voulu décourager son fils et n'objecta aucune des multiples raisons qui ne manqueraient pas de s'opposer à une union quelque peu disproportionnée. La moindre n'étant pas la propension à papillonner de coeur en coeur – et de corps en corps – qu'avait toujours eu le garçon, et qu'il pourrait bien retrouver lorsqu'aurait un peu tiédi cette passion brûlante. Ajouté au fait que les yeux bleus de Yann ne rencontraient guère de cruelles...

N'oubliant pas le code convenu, Yann écrivit sa première lettre d'amour. Avec des mots simples dans lesquels il essaya de faire passer toute la tendresse, toute la passion dont son coeur débordait. Il jurait à Isabelle qu'il l'attendrait aussi longtemps qu'il le faudrait, et qu'il continuerait à ne penser qu'à elle. Il sollicitait qu'elle écrivît à son tour dès qu'elle le pourrait, expliquant que cette tendre missive – elle ne pourrait qu'être tendre – serait comme un baume sur la blessure de la séparation. Yann ne fut pas mécontent de sa tournure de phrase, c'était peut-être une réminiscence des lectures du Père Tellier mais les mots en étaient venus pratiquement seuls sous sa plume. Des serments d'amour terminaient une lettre dans laquelle il avait mis tout son coeur.

Quelque dix jours plus tard, au retour d'une longue promenade sur les remparts, Yann bondit comme un fauve sur l'enveloppe qu'il trouva glissée sous la porte de la maison. Apportée par un gendarme, elle informait – sans tendresse – le quartier-maître Bellec d'avoir à se présenter dans les cinq jours à l'Ecole des fusiliers-marins de Lorient, afin d'y servir comme instructeur.

Affreusement déçu, Yann éprouva le besoin de reprendre l'air. Il erra dans les rues de la ville close sans trop savoir où diriger ses pas. Etait-ce un signe du destin ? Au croisement de la rue de l'Orme et de la place du Marché aux légumes, il tomba sur sa jeune amie la crémière qu'il n'avait pas revu depuis plus d'un mois. Folle de joie, elle se pendit à son cou et Yann lui-même fut heureux de retrouver cette fille jolie, fraîche et... disponible. Elle n'eut pas trop de peine à le convaincre de monter jusqu'à son pigeonnier, le jour était sans doute favorable et lorsqu'elle fut nue dans ses bras, Yann quelque peu sevré d'amour physique se plongea à corps perdu dans une étreinte dispensatrice de bien-être et d'oubli.

Lorsque s'apaisa la flambée de désir qui les avait jetés d'un même élan sur la couche étroite – et sans baldaquin – de la jeune fille, Yann fut envahi d'une bouffée de tristesse à l'idée d'avoir trahi la douce et pure Isabelle. Et puis, après que son amie lui eut apporté un verre de vin et allumé une cigarette, qu'elle se fut blottie toujours nue au creux de son épaule, il retrouva la sérénité bienheureuse qui succède à l'amour. Le seul désir charnel l'avait guidé, se disait-il, il n'était après tout ni saint ni apôtre et il en allait d'une chose aussi naturelle que le boire et le manger. Lorsque Isabelle serait à lui, il entendait bien lui rester fidèle mais jugea que dans l'immédiat, forte de son amour et objet de toutes ses pensées, elle avait la meilleure part. A la fois pénitent et confesseur, il s'accorda l'indulgence plénière qu'il croyait bien mériter. Si bien que regaillardi à cette idée, et agréablement caressé par une partenaire que n'effleurait aucun état d'âme, il reprit avec une fringale accrue l'entretien amoureux au point même où il l'avait interrompu. Ponctué de soupirs et de baisers, de caresses audacieuses et de fougueux élans, l'après-midi se passa si agréablement que la jeune crémière en oublia d'aller travailler. Elle ne s'en souvint qu'à l'heure où, la nuit étant tombée sur Saint-Malo, Yann décida de regagner sa maison. Elle expliquerait à son patron, dit-elle, qu'elle avait été malade. Tous deux rirent comme des gosses, l'un et l'autre s'accordant à reconnaître qu'il était bien agréable de souffrir d'une telle maladie.

Le lendemain, Yann guetta le facteur et sa patience fut récompensée. Le cachet de la poste d'Amboise authentifiait la source et Yann ouvrit fébrilement l'enveloppe. La lettre était signée Hubert de Valclouet. L'officier écrivait longuement à son ami pour lui dire qu'il était appelé à commander en second le torpilleur « Triton » qu'il rejoindrait à Brest, et que ce commandement à le mer le ravissait. Hubert évoquait le séjour de Yann en Touraine et le plaisir qui avait été le sien d'y accueillir son ami. Il était chargé par ses parents de lui transmettre leur bon souvenir. Avec un tact et une discrétion rares, Hubert faisait état de ce qui avait rapproché sa soeur et le jeune homme, le temps d'un bref séjour. S'il s'avouait favorable à la perspective d'une union., il n'en cachait pas les difficultés. Isabelle était bien jeune et ne savait rien de la vie, elle avait vécu en vase clos protégée par des parents sans doute aimants mais aussi trop attachés aux traditions familiales. Hubert ne dissimulait pas qu'à terme l'opposition de ses parents à ce qu'ils ne manqueraient pas de regarder comme une mésalliance, serait le principal obstacle. Mais, ajoutait l'officier, si l'un et l'autre avaient fait le choix décisif, si tous les deux ne craignaient pas une lutte longue et difficile, alors rien ne pourrait les empêcher de s'aimer et d'être heureux. Et Hubert, ami sincère et frère aimant, formait des voeux pour qu'il en soit ainsi.

Pour inattendue qu'elle fût, la lettre fit chaud au coeur du jeune homme. Elle avait le mérite d'exposer clairement la situation sans rien laisser dans l'ombre, mais le message d'espoir qui y était inclus trouva chez Yann une résonnance particulière, et lui donna la force et la confiance de mener à bien un combat dont le bonheur était l'enjeu.

Brève parce qu'écrite en cachette, la lettre d'Isabelle arriva quelques minutes avant que Yann ne prenne le chemin de la gare, afin de rallier Lorient. Toute la tendresse du monde y était enclose, et Yann la glissa dans sa vareuse afin de la relire souvent. Comme un avare de son trésor, il vérifia tout au long du voyage que cette lettre d'amour était bien toujours là, à l'endroit même où battait son coeur.

*

* *

Sans enthousiasme excessif, Yann avait retrouvé la vie militaire, et avec un réel déplaisir la discipline rigoureuse qui en régissait le fonctionnement. A des milliers de kilomètres de la France dans des pays où l'on fait la guerre, les rapports sont différents et les risques partagés rapprochent les hommes. Là-bas la fraternité des armes unissait, sans souci de grade, officiers et soldats, mais ici en garnison la sacro-sainte hiérarchie remettait chacun à sa place. Yann souffrait de cette pesanteur réglementaire, d'autant plus qu'il avait épuisé très vite les charmes de l'instruction des jeunes recrues. Les charges à la baïonnette qu'il commandait étaient d'autant moins exaltantes que des sacs de sable tenaient lieu d'ennemi. Ne tenant pas à passer ainsi les dix-huit mois qu'il lui restait devoir à la marine, il postula pour servir outre-mer. Sauf à renouveler son engagement il ne pouvait prétendre séjourner dans de lointains pays. L'Etat-major se montra pourtant compréhensif, sans doute en raison des états de service et des décorations, et Yann apprit avec joie son prochain départ pour la Tunisie. Isabelle regretta un peu de voir s'éloigner davantage celui qu'elle aimait, mais elle savait mieux que quiconque les contraintes de la vie militaire et elle lui promit d'attendre son retour avec autant d'amour que de fidélité. Dans la lettre que Yann posta à Marseille avant d'embarquer, il réaffirma la grandeur de son amour et sa volonté d'épouser un jour celle qui avait pris son coeur à jamais. Prudent, il avait évité de parler de fidélité.

C'est avec un vif plaisir que Yann retrouva le bleu de la Méditerranée sous le soleil printanier, et Notre-Dame de la Garde brillait de mille feux lorsque le bateau quitta le port de Marseille. Jusqu'à Oran la traversée ne dura guère plus de deux jours, mais le tangage et le roulis avaient durement secoué dans le golfe du Lion. Yann vérifia une fois de plus qu'il était parfaitement insensible au mal de mer, et son robuste appétit s'accomoda parfaitement de la situation. En effet la plupart des marins, malades comme des chiens, refusaient toute nourriture pour la plus grande joie de ceux qui étaient épargnés. Tour à tour, le navire débarqua des hommes à Mers-El-Kébir, Alger, Bougie, Bône et enfin Tunis où devait descendre Yann. Il s'étonna, arrivé dans le golfe de Carthage, qu'on ne puisse voir la ville depuis la mer et le bateau dut suivre longtemps le canal de la Goulette avant d'aborder au quai de débarquement. Il découvrit alors les toits blanchis à la chaux, les terrasses et les mosquées surmontées de hautes tours qu'on lui dit être des minarets.

C'est ici, expliqua le commandant aux nouveaux arrivés, que seraient basés les fusiliers-marins. Ils auraient pour mission essentielle de surveiller les côtes de Tunisie du golfe de Gabès jusqu'à Bizerte. Si la région était relativement calme, depuis le traité signé en 1881 au palais du Bardo – une des résidences du Bey de Tunis – et surtout la convention de la Marsa qui avait affirmé et réglementé le protectorat français, le littoral n'en était pas moins repaire de contrebandiers et de pillards. Il est vrai que ceux-là avaient de qui tenir, descendants des corsaires barbaresques qui lançaient des coups de main audacieux jusqu'en Provence pour y enlever de belles captives destinées aux harems.

Yann découvrait les foules bigarrées d'Afrique du nord, les femmes voilées et les marchés pittoresques. Seulement séparée par une porte du quartier où vivaient les européens, la ville arabe conservait son mystère. Au pied de Dar-El-Bey, la cour des souks offrait ses trésors, objets de cuivre ciselés, parfums, tapis, étoffes de soie, babouches. Le jeune homme aimait flâner dans cet enchevêtrement de couloirs étroits, de niches et d'alcôves, frôlant les burnous blancs et les gandouras rayées, se sentant épié par des regards de braise. Des yeux brûlants de haine qui étaient poignards, des yeux de gazelle qui avaient parfois la douceur du miel. Au fond des souks dans l'odeur du kif, il buvait le café turc noir comme l'enfer dans de minuscules tasses, et pour n'avoir pas la magie d'Extrême-Orient les paysages nord-africains – palmiers, terrasses fleuries, soleil et bleu profond de la mer – n'en étaient pas moins d'une saisissante beauté.

De patrouilles côtières en opérations de reconnaissance, les missions alternaient et les mois passaient sans qu'un événement notable n'en vienne troubler la monotonie. Hormis peut-être un accrochage avec une troupe de brigands bien armés, descendus des contreforts de l'Atlas dans un village nommé Dogga aux environs de Teboursoule, parmi les oliveraies et les superbes ruines historiques. Les cavaliers avaient décroché très vite et on avait perdu leurs traces dans le bled immense et montagneux. Deux fusiliers-marins, égorgés et jetés dans la rivière Medjerda après avoir été capturés, payèrent de leur vie cet engagement aussi bref que sanglant. Dans les lettres qu'il envoyait pratiquement chaque mois à sa bien-aimée, Yann exprimait une certaine mélancolie. A l'enthousiasme des premières semaines avait succédé l'ennui né de l'inaction et de la routine. Le sort en était jeté, l'été prochain verrait sa libération et il quitterait la marine, certes avec de beaux souvenirs mais aussi sans regret. Que ferait-il ensuite ? A vrai dire il n'en avait pas la moindre idée, mais confiant en sa bonne étoile et fort d'un amour partagé, l'avenir lui appartiendrait.

Autant qu'elle le pouvait Isabelle répondait aux lettres de Tunisie et le courrier de l'aimée, lu et relu, entretenait la flamme, parfois vacillante, au coeur du jeune homme. Son frère Hubert, disait-elle, voguait actuellement vers la France au retour d'un voyage en Nouvelle-Calédonie et espérait passer Noël en famille. Cette évocation de la Nativité éveillait les souvenirs, Yann n'avait pas oublié le Noël dernier, fastueusement célébré à Saint-Malo avec sa mère, comme il se rappelait avec précision ceux d'Extrême-Orient. Que serait le Noël 1888 ? Yann, libéré des obligations militaires, serait alors dans sa vingt-cinquième année et l'occasion pourrait être propice d'une demande en mariage. Cette seule idée de la main d'Isabelle demandée – et accordée – lui ensoleilla le coeur.

La bagarre qui opposa une dizaine de fusiliers-marins à autant de pontonniers du Génie, dans un café arabe au fond du souk des tapis n'avait rien que d'habituelle, et lorsqu'elle se termina aucun des participants n'aurait sans doute pu dire ce qui l'avait provoqué. Il fallait bien que de temps en temps la vitalité de ces jeunes gens trouvât à s'exprimer, et comment mieux qu'en se battant ? A la loyale ou presque. C'est à dire en se servant de ses poings, de ses pieds et un peu de sa tête, sans utiliser les tabourets ni les tables, encore moins les couteaux. Une bonne explication virile, qui ravigote à la fois les muscles et l'esprit et fasse circuler le sang. Evidemment d'aucuns en gardaient quelques traces avec des mâchoires douloureuses, voire pour les plus mal lotis la perte d'une ou deux dents. La belle affaire ! Cette bagarre donc très ordinaire n'en eut pas moins un résultat inattendu, puisqu'elle amena Yann à passer à Alger son dernier Noël sous les drapeaux.

Comme en amour ou au combat Yann s'était donné à fond dans cette rixe, et le maître principal Lorphelin avait apprécié en connaisseur la façon dont le malouin faisait le vide autour de lui. C'est lui qui ce soir-là dirigeait la patrouille militaire, mais l'officier-marinier était aussi le maître d'armes du bataillon et il avait été impressionné par les 188 centimètres et les soixante-quinze kilos du jeune athlète. Il le convoqua le lendemain.

– Bellec, je t'ai observé, tu es costaud et tu as de bons réflexes. As-tu déjà boxé ?

– Jamais, mais je crois que ça me plairait !

– Attention ! La bagarre est une chose, mais les assauts en salle qu'ils soient de boxe ou de pancrace, c'est tout à fait différent. Il y a des règles qu'il faut observer et des coups défendus. Alors que dans la rue...

Le maître principal Lorphelin exposa à Yann ce qu'il attendait de lui.

– Ecoute-moi bien ! Le général Ollivier, commandant en chef des troupes d'Afrique du nord, est un passionné de sports de combat. Escrime – il est lui-même une fine lame – bâton, boxe française, pancrace... Chaque année, il organise pour Noël un grand tournoi inter-armes disputé par toutes les unités servant en Algérie et en Tunisie. C'est pourquoi chacune d'elles envoie ses meilleurs représentants, afin de gagner la coupe dont elle aura la garde pour un an. Tu imagines la fierté de l'unité qui l'emporte ? Et l'esprit de corps qui anime chacun des combattants ?

– Oui, je comprends.

– Alors voilà ! J'ai pensé à toi pour représenter les fusiliers-marins cette année. Depuis trois ans que ce tournoi existe nous ne l'avons jamais gagné, dans aucune catégorie. Je sais que notre commandant en rêve, et il y va de l'honneur de la marine. Tu me suis ?

– Parfaitement.

– Ecoute bien ça, Bellec ! Si l'un de nos gars l'emporte, il aura droit à une permission exceptionnelle d'un mois. Le commandant me l'a promis, et la même récompense me sera attribuée. Dans les trois jours qui suivront le tournoi, un bateau doit partir pour la France et il y aura de la place pour les vainqueurs. Qu'en dis-tu ?

– Bon Dieu ! Je suis votre homme, donnez-moi ma chance !

– D'accord ! Aujourd'hui même je demande au commandant de t'exempter de service. Mais attention, Bellec ! Il nous reste un mois, chaque jour je vais te faire travailler à la salle d'armes, assauts, musculation, haltères, saut à la corde. Chaque matin nous courrons cinq ou six kilomètres ensemble, et je ne te ferai grâce d'aucun effort. Parce que moi aussi, Bellec, j'ai envie d'aller en France voir ma femme et mes gosses. Tu es prêt à accepter tout ça ?

– Vous avez ma parole !

– Alors, tope là !

Le jour même, Yann écrivait à sa tendre amie pour lui faire part de l'engagement qu'il venait de prendre. Avec les mots dictés par l'amour il disait la chance que représentait ce tournoi, la fantastique récompense qui en était l'enjeu et sa volonté farouche d'aller jusqu'au bout de ses forces. Quelque soit le prix à payer, il était décidé à souffrir et à se battre férocement. Pour elle, pour la retrouver, puisque disait-il son coeur était resté là-bas dans la douce Touraine.

– Baisse la tête ! N'expose pas ton menton à l'adversaire, il faut te couvrir, tu vois je peux te toucher comme je veux ! Il ne suffit pas de frapper comme un sourd, il faut esquiver, bloquer, parer les coups. Voilà !

Chaque jour depuis trois semaines, le maître d'armes Lorphelin entraînait Yann inlassablement. Il lui avait fallu d'abord discipliner, canaliser cette force brutale et désordonnée. La puissance des coups et l'instinct du combat étaient innés chez ce magnifique athlète, mais il importait d'en calmer l'impétuosité. Les leçons de technique avaient suivi et les premières avaient porté sur le jeu défensif dont Yann ignorait tout. A huit jours du tournoi le rythme était devenu infernal et il travaillait sans relâche directs, crochets, swings et uppercuts tout autant que la pointe ou le chassé des jambes, entretenant son souffle par de longues séances de course à pied ou de saut à la corde.

Sa volonté, son courage et ses dons naturels en avaient fait un redoutable pugiliste, et le maître d'armes était persuadé de tenir en lui un véritable animal de combat. Sans doute, un mois d'entraînement supplémentaire eut-il encore amélioré ses performances et renforcé ses chances, mais l'officier-marinier estimait n'avoir jamais disposé depuis trois ans d'un tel élément. A ses leçons quotidiennes, Lorphelin ajoutait une préparation psychologique intensive. Intelligemment, le professeur savait trouver les mots propres à entretenir l'ardeur du combattant, évoquant tour à tour l'honneur de la marine et le mois de permission en France. Le maître d'armes n'ignorait pas qu'au même moment dans chaque unité, des entraîneurs préparaient pareillement leurs poulains.

La dernière semaine fut menée à un rythme d'enfer. Yann, dont la musculature impressionnait était physiquement et moralement prêt, si bien qu'il fut décidé de cesser tout entraînement afin qu'il puisse se reposer avant le départ pour Alger. C'est alors qu'arriva de Touraine, une lettre qui paracheva superbement la préparation morale du représentant de la marine au grand tournoi inter-armes. Depuis Amboise où il venait d'arriver pour passer Noël en famille, Hubert de Valclouet exprimait à la fois sa joie d'avoir retrouvé son pays et le plaisir de savoir son ami Yann en bonne santé. Sa soeur, disait-il, l'avait informé de la compétition sportive et de ce que lui rapporterait une éventuelle victoire. La fin de la lettre l'enthousiasma : "... Si tout se passe bien et que vous parveniez à triompher, je vous propose de venir passer quelques jours chez nous à Amboise, pour y célébrer l'année nouvelle. Nous aurons sûrement beaucoup de choses à nous raconter, et si l'idée de vous revoir me ravit il est quelqu'un d'autre qui en rêve jour et nuit. Vous pouvez imaginer de qui je veux parler... ... Voici donc, mon cher Yann, ce qu'il me fallait vous dire. Mes voeux vous accompagnent. Je sais mieux que personne votre courage et votre force. La partie sera sûrement très difficile, mais je vous sais capable de la mener à bien. Pour la marine, pour votre ami et... pour sa petite soeur."

Rien ne pouvait stimuler davantage le jeune homme, aussi c'est l'espoir au coeur qu'il embarqua pour Alger, escorté de l'entraîneur et du commandant de son unité. Tous trois bien décidés – pour des raisons différentes – à ramener le trophée convoité. Soigné et protégé comme un crack à la veille du Grand Prix, Yann bénéficia des attentions de tous les marins. Il eut droit à une cabine d'officier et mangea au carré avec l'Etat-Major, ce qui le remplit de confusion. Il se dit que la marine traitait royalement les siens, du moins tant qu'ils portaient ses espoirs. Il n'osa pas imaginer ce que serait son retour, s'il ne répondait pas aux espérances. "Malheur aux vaincus" disait jadis le Père Tellier lorsqu'il racontait au gamin fasciné l'histoire de Brennus. A tout le moins il voulait croire que, vaincu, on ne le mettrait tout de même pas aux fers.

Alger la Blanche révéla sa lumineuse beauté entre le cap Matifou et la pointe Pescade, et Yann admira cette ville superbe qui, lui dit-on, était jadis comme Saint-Malo une cité corsaire. Toujours dorloté par les pompons rouges, il fut presque traité en Amiral en attendant le grand jour. Décidément, d'Amboise à Alger, on comptait sur lui. Il n'en prit vraiment conscience qu'en entendant la formidable ovation qui salua son arrivée sur le ring. Les marins étaient en force et en voix, il ne ferait pas bon les décevoir.

Le temps était délicieusement doux à Alger ce Noël 1887, et dans le jardin d'Essai où allaient se disputer les combats, la foule composée de militaires de toutes les armes se pressait. Chacun encourageant les siens. Entre les massifs fleuris, une tribune abritait les personnalités, généraux et officiers supérieurs. Les fameuses coupes étaient posées sur une table, le commandant en chef les remettrait lui-même aux vainqueurs. Les règles avaient été définies : combats éliminatoires, demi-finale et finale. A l'évidence la journée serait rude. Maillot et collant noir identique pour chacun, avec seulement l'insigne de son arme, les combattants furent présentés au public déchaînant les applaudissements ou les sifflets.

Désigné par le tirage au sort, l'adversaire de Yann appartenait à la Légion étrangère. La grenade à sept flammes cousue sur son maillot en témoignait, comme les encouragements de ses camarades en képi blanc. Il répondait au nom de Mario Fagnani. Yann n'entendait guère l'italien, mais il comprit pourtant que les paroles prononcées par cet adversaire à l'oeil noir n'étaient pas vraiment amicales. Il lui sembla même qu'elles mettaient en doute les bonnes moeurs de sa mère, et il n'aima pas ça. C'est pourquoi il frappa d'entrée, le plus fort possible, et qu'il fut assez heureux pour toucher l'oeil gauche du légionnaire. Celui-ci perdit presque immédiatement la moitié du spectacle, et ne vit pas arriver un terrible crochet du droit qui le propulsa au tapis. La marine hurla sa joie durant que l'arbitre égrenait les secondes. Courageux, l'italien se releva et bien qu'à moitié aveuglé se rua sur son adversaire. Un pas de côté, et une remise du droit de Yann qui arriva derrière l'oreille de son rival mirent fin à l'affrontement. Le combat avait duré moins de deux minutes, sous les lazzis le légionnaire inconscient fut transporté dans le bâtiment servant de vestiaire, et Yann à peine essoufflé reçut l'accolade de son entraîneur.

Deux heures plus tard, il se retrouvait face à un colosse appartenant à l'artillerie et les choses sérieuses commençaient. L'artilleur – style grosse Bertha – avait entrepris la démolition du marin. Yann esquivait ou bloquait la plupart de ses coups de boutoir, mais ceux qu'il recevait sur les bras et les épaules témoignaient de la puissance du canonnier. Plus léger et plus vif, Yann dansait autour de son adversaire et plaçait les banderilles de ses directs du gauche au visage. Il en eut fallu d'autres pour arrêter cette force de la nature, et Yann encaissa de plein fouet une formidable droite qui l'envoya dinguer dans les cordes à l'autre bout du ring. Les artilleurs poussèrent une véritable clameur sauvage. Yann était en perdition et l'autre se précipitait pour continuer son pilonnage lorsque retentit le gong annonçant la fin de la reprise. Pâle comme un mort, Lorphelin bondit sur son poulain et l'arrosa copieusement avec une grosse éponge, il lui fit respirer des sels et lui massa vigoureusement la nuque. Lorsque le gong le renvoya au combat, Yann avait pratiquement récupéré ses moyens et il réussit à tenir à distance tout au long de la reprise un adversaire bien décidé à en terminer. Il réussit même à calmer son ardeur belliqueuse par un fulgurant crochet qui ouvrit la pommette gauche de l'artilleur.

Tout au long de ce combat qu'il termina victorieux mais épuisé, Yann paya le prix de la souffrance. Ce fut à ses dépens qu'il apprit la différence entre la bagarre brutale et maladroite des rues et des tripots, et le combat réglé et codifié où la force pure est battue en brèche au bénéfice de la technique. Il eut une pensée reconnaissante pour le maître d'armes et ses leçons. Ce dernier, après bien des émotions, reprenait des couleurs au fil des reprises et c'est à lui que Yann dédia sa victoire, obtenue après qu'une fracassante série de coups ait envoyé l'artilleur au tapis pour beaucoup plus que le compte. Il ne restait plus qu'un obstacle sur la route d'Amboise, celui-là n'allait pas être facile à franchir.

Yann n'aurait pu tomber plus mal, celui qui lui serait opposé tout à l'heure n'était rien moins que le vainqueur de la coupe de l'an dernier, un ancien boxeur professionnel qui maniait aussi bien le poing que la savate. Engagé chez les tirailleurs, il était le maître d'armes de son régiment et avait remporté ses deux combats en quelques minutes avec une facilité dérisoire. Le dernier de ses adversaire – deux côtes cassées et la mâchoire fracturée – avait été transporté à l'hôpital, c'est ce qu'apprit le jeune marin dans les vestiaires. Il y avait sans doute dans ces informations alarmistes savamment colportées une part d'intoxication, il n'en était pas moins vrai que le combat ne se présentait pas pour Yann comme une partie de plaisir. C'est peut-être ce que pensait aussi le chef de la musique militaire, qui avec un humour discutable fit jouer la « Marche au supplice » de Berlioz pendant que les deux hommes quittaient le vestiaire pour gagner le ring surmonté d'un dais tricolore.

Douce Touraine. Allongé sur le lit à baldaquin Yann se sentait merveilleusement bien, comme s'il reposait sur des édredons de plumes. N'était cette rumeur assourdie qui montait du parc et cet homme penché sur lui qui ressemblait au père d'Isabelle, il eût été au paradis. Pourquoi le comte de Valclouet agitait-il grotesquement ses doigts en criant des chiffres ? A six, Yann émergea un peu de la brume cotonneuse qui l'enveloppait, le septième chiffre l'atteignit au tréfonds de lui-même, le huitième le vit debout miraculeusement en garde. Se couvrant machinalement de la grêle de coups qui s'abattait sur lui, il subit sans trop de dégâts l'emprise de son adversaire jusqu'au coup de gong libérateur.

Arrosé, secoué, Yann recouvrait sa pleine lucidité, jusque là tout s'était bien passé, la présentation sur le ring, la poignée de mains symbolique et le sourire un peu méprisant de son adversaire. Il se souvenait fort bien du début de combat et de la feinte qui l'avait fait se découvrir. Après çà... Le crochet extraordinairement précis à la pointe du menton avait été totalement indolore, et Yann s'était retrouvé... en Touraine.

Ses jambes étaient redevenues solides sous lui et ses réflexes retrouvés. Tout en boxant prudemment Yann observait l'adversaire, un peu moins athlétique que lui mais tout de même bien balancé, la moustache conquérante et le petit sourire méprisant de tout à l'heure encore accentué. Mis en confiance, il guettait sa proie et attendait l'ouverture. Il était vraiment très rapide et Yann encaissa encore un doublé gauche et droite qui lui fit voir des étoiles, il sentit le goût du sang dans sa bouche mais y puisa une volonté nouvelle. Il n'était plus sur un ring mais au Tonkin, il ne se battait pas pour une coupe mais pour sa vie. Comme à Phu-Sa. Alors, il oublia les leçons du maître d'armes et la technique patiemment inculquée et se lança dans la bataille. Et l'autre, incrédule, recula devant ce sauvage qui frappait sous tous les angles. Ce n'étaient plus des poings gantés de six onces qui s'abattaient sur lui, mais des massues. La lèvre ouverte, un oeil à demi fermé, un rictus effrayant lui tordant la bouche ensanglantée, Yann était devenu un démon que rien ne pouvait arrêter et l'arbitre dut protéger de son corps le tirailleur saoulé de coups et littéralement massacré.

Il fallut quelques minutes à Yann pour revenir sur terre et réaliser qu'il avait gagné. Des larmes dans les yeux, le maître principal Lorphelin vivait le plus beau jour de sa vie et embrassait son poulain frénétiquement. La marine était en délire et le commandant des fusiliers-marins de Tunis applaudissait à tout rompre, ivre de bonheur. Si la manière appelait quelques réserves, le résultat était indiscutable et la marine remportait pour la première fois le tournoi inter-armes. Au point que le commandant se demanda s'il ne convenait pas de tirer une salve d'honneur. La cérémonie protocolaire sous les projecteurs, la remise de la coupe et la poignée de mains du général, Yann vécut tout cela comme dans un rêve. Assez mal en point, mais rayonnant, il eut à subir les bourrades amicales de ses camarades. Sur le navire qui le ramenait à Tunis, le carré des officiers fêta joyeusement la victoire de son champion, avec nappes blanches et champagne. Assommé de fatigue Yann s'endormit comme un enfant, tout habillé, sur la couchette de la cabine qui lui était réservée.

*

* *

Le 29 Décembre au matin, Yann débarquait à Marseille en compagnie du maître d'armes. Tous les deux étaient radieux. Fidèle à la parole donnée, le commandant avait immédiatement signé la permission exceptionnelle d'un mois, et les deux hommes avaient embarqué sur un bâtiment de la marine nationale dont le départ était effectivement prévu le 27. Désormais célèbre dans toute la marine d'Afrique du Nord, Yann avait été convié à la table du commandant en compagnie de son entraîneur. Questionné sur ses projets d'avenir et sur l'éventualité de rester dans la marine, il s'était montré assez évasif mais sa décision était prise, il lui restait six mois à accomplir et il n'irait pas au-delà. En tête à tête avec le maître principal Lorphelin au cours de la traversée Yann avait évoqué la fin de son contrat. L'officier-marinier l'avait amicalement conseillé, en se défendant de vouloir l'influencer. Si Yann souhaitait rester dans la marine, disait-il, il pourrait devenir à son tour maître d'armes après avoir suivi les cours et obtenu les diplômes nécessaires. Ensuite il serait affecté à une base d'Afrique du Nord, avec une situation enviable qui le ferait échapper aux contraintes habituelles de garde ou de service. Fort de sa victoire au tournoi d'Alger, il pourrait même prétendre à une promotion et au choix de son affectation. A vingt-quatre ans, estimait Lorphelin, l'avenir s'annonçait prometteur.

– Ecoute, je t'ai fait travailler durant un mois, je t'ai observé et apprécié, j'ai vu aussi que la discipline militaire te pesait. Que vas-tu faire ?

– Je n'en sais rien, avoua Yann qui ajouta sur le ton de la plaisanterie, peut-être boxeur professionnel.

– Toi, professionnel ? Non, je ne crois pas que tu puisses envisager cela. Tu as toutes les qualités physiques d'un champion et le courage ne te fait pas défaut mais la vie d'austérité et les contraintes de l'entraînement d'un professionnel ne te conviendront jamais. Non, Yann ! Tu es un vrai fauve mais tu ne supporterais pas les barreaux d'une cage.

– Je crois que vous avez raison, admit Yann, mais il me reste six mois pour y penser. En attendant, vous et moi partons pour la France, c'est le principal.

– C'est vrai, pour l'instant il n'y a que ça qui compte.

Après avoir trinqué joyeusement pour fêter leur arrivée sur le sol français, les deux hommes s'étaient séparés. Ils se retrouveraient ici même vingt-cinq jours plus tard pour reprendre le même bateau et regagner Tunis. A la poste, Yann avait envoyé un télégramme à Hubert de Valclouet pour annoncer son arrivée. Il avait décidé de rallier directement Amboise, pressé par le temps, et de rejoindre ensuite Saint-Malo pour y terminer sa permission. Après de longues heures de chemin de fer, de correspondances attendues dans le froid et de retards dus à une locomotive capricieuse, Yann arrivait à Amboise le 31 Décembre. Il était presque midi et il pleuvait, mais son coeur battait la chamade et la joie faisait briller ses yeux.

L'accolade fut extrêmement chaleureuse entre Yann et Hubert, elle se prolongea même un certain temps au milieu du quai sous les regards étonnés des voyageurs. Le spectacle était sans doute inhabituel en ce lieu, d'un homme jeune et élégant serrant dans ses bras un marin et échangeant avec lui force tapes amicales. L'officier était venu seul attendre son ami, et les deux hommes enchantés de se revoir devisaient gaiement.

– Quel plaisir de vous retrouver, Yann ! Voici une année nouvelle qui ne pouvait mieux commencer... mais je crois que l'autre s'est bien terminée aussi. C'est fantastique d'avoir gagné, ça l'est tout autant de vous accueillir.

– Merci, cher Hubert, la joie est partagée. Et c'est vrai que je suis béni des Dieux entre ma victoire à Alger et votre chaude amitié.

– Vous me raconterez ? Ça n'a pas dû être facile?

– Pas trop, avoua Yann, et mon visage en garde quelques traces.

– Moi, je trouve que sous vos yeux bleus, ce violet est du plus bel effet. Et puis je l'avais oublié, mais vous êtes superbe en uniforme. Toutes les femmes doivent vous admirer, en plus ces cernes sont flatteurs...

– Vous vous moquez, Hubert, et je ne suis pas sûr que ma tenue soit très indiquée pour fêter le nouvel an dans votre famille.

– Ne croyez pas cela, l'uniforme a toujours été apprécié à la maison, mais si vous le souhaitez je vous trouverai bien un costume. A condition bien sûr de ne pas lever les bras au ciel...

Tous les deux rirent aux éclats. La même carriole avec le vieux cheval attaché au platane les attendait devant la gare.

– Demain, Yann, nous fêterons l'an neuf en famille. Mes parents ont accepté avec plaisir que vous soyez des nôtres, ils n'ignorent pas les liens d'amitié qui nous unissent.

– Ils vont bien ? questionna Yann, et...

– Oui, Yann, tout le monde va bien et Isabelle va très bien, surtout depuis votre télégramme. Elle avait, me semble t-il, prié pour vous avant l'épreuve.

Yann ne répondit pas, profondément heureux, alors que la carriole franchissait la porte de la propriété. Vêtu du même costume de velours noir, le garde-chasse attendait pour descendre les bagages, en l'occurence un sac marin, du voyageur. Yann lui serra très fort la main en le regardant dans les yeux, comme pour signifier sa reconnaissance à celui qui était si fidèlement le messager des amoureux. Hubert s'effaça pour laisser entrer son ami. Une galopade dans l'escalier annonça l'arrivée d'Isabelle, essoufflée par la course autant que par l'émotion, elle s'arrêta confuse, pétrifiée devant Yann au moins aussi ému. Pareillement muets ils se regardaient attendris avec une semblable envie de se précipiter l'un vers l'autre.

– Qu'est-ce que vous attendez pour vous embrasser ? lança ironiquement Hubert.

L'invitation était à peine formulée que Yann avait refermé ses bras sur sa bien-aimée pour la serrer contre lui. Eperdus de bonheur, ils se regardaient, les yeux pleins de larmes, alors que l'officier faussement désinvolte s'était éloigné pour contempler à la fenêtre les grands arbres du parc. Le claquement d'une porte et des bruits de pas sur la galerie les firent se séparer, tandis qu'Hubert quittait son observatoire. Les parents descendaient – à petite allure – le grand escalier.

– Bienvenue matelot ! lança le comte de Valclouet en serrant la main de Yann.

– Je suis heureuse de vous revoir, ajouta son épouse, l'uniforme vous va très bien.

– Ce n'est pas un reproche, bien au contraire, plaisanta le comte, mais j'ai l'impression que l'on a davantage de permissions dans la marine que chez les cavaliers.

– Je dois préciser, père, que cette permission obtenue par mon ami Bellec est exceptionnelle, dit Hubert, elle récompense un remarquable exploit sportif accompli pour la marine.

– Alors, c'est autre chose. Il me souvient qu'à Saumur il en allait de même pour ceux d'entre-nous qui faisaient triompher nos couleurs dans les concours hippiques.

Tout le monde passa dans la salle à manger, et la conversation porta essentiellement sur la vie militaire et les colonies. Yann ne fut pas très loquace, il ne voyait qu'Isabelle et aurait volontiers bradé l'Empire colonial de la France pour rester seul avec elle. Elle était, lui sembla t-il, encore plus jolie. Plus femme aussi avec des formes que sa stricte robe verte mettait pourtant en valeur. Sa pensée s'égara quelque peu vers de troublantes images. Quand la reprendrait-il dans ses bras ? Pourrait-il encore boire à ses lèvres ? La voix de Madame de Valclouet le ramena sur terre.

– Vous devez être fatigué, mais vous ne serez pas dépaysé puisque vous allez retrouver la chambre que vous occupiez il y a presque un an.

– Je ne l'ai pas oublié, Madame, murmura Yann. C'était un très agréable séjour et j'y ai pensé bien souvent.

L'espace d'un éclair, son regard croisa celui d'Isabelle. Yann comprit qu'elle non plus n'avait rien oublié, ni le Rêve d'Amour aux notes cristallines, ni la promenade en calèche où s'unissaient leurs mains, ni l'ardent baiser de leur séparation.

Il n'y eut pas de musique au petit salon ce soir-là. Le dîner fut simple, et détendu par les souriantes anecdotes sur les moeurs coutumières des canaques de Nouvelle-Calédonie, rapportées avec humour par Hubert. Yann feignit de s'y intéresser mais ses pensées étaient bien loin de Nouméa, elle le menaient sur les remparts de Saint-Malo avec Isabelle à son bras. Le vent de mer leur apportait des senteurs de goémon et le ballet des mouettes sur l'émeraude des vagues était d'une lumineuse beauté.

– Bonne nuit, Monsieur Yann.

Redescendu de ses remparts dans la salle à manger des Valclouet, Yann réagit en entendant la douce voix d'Isabelle qui prenait congé.

– Bonne nuit, mademoiselle.

Le lit à baldaquin désormais familier fut douillet au corps fatigué du marin. Il était presque onze heures lorsqu'il ouvrit l'oeil. On frappa à la porte. Yann qui sous toutes les latitudes avait l'habitude de dormir nu, chercha quelque chose pour se couvrir. Il se drapa dans la courtepointe rouge et alla ouvrir.

– Bonne année Yann ! Je souhaite de tout coeur que 1888 soit pour vous un grand millésime, et qu'il voit se réaliser tous vos voeux.

Hubert, des vêtements pliés sur le bras, avait voulu être le premier à souhaiter la bonne année à son ami. Il ne put s'empêcher de sourire devant l'accoutrement de celui-ci.

– Je vous apportais un costume et du linge, mais je me demande si vous ne devriez pas paraître au déjeuner comme un empereur romain drapé dans la pourpre.

– Je ne sais ce qu'en penseraient vos parents, dit Yann hilare, je crois qu'il vaut mieux s'en tenir à la tenue classique. En tout cas merci Hubert, et que cette année soit bonne pour vous aussi.

Yann avait-il un peu maigri ou était-ce le tailleur d'Hubert qui voyait un peu plus grand ? En tout cas, le costume prêté par son ami était nettement moins étriqué que celui du casino de Saint-Malo. Il s'en fit la réflexion en ajustant sur lui ce vêtement de la meilleure coupe devant le grand miroir de l'armoire. Elégant et en pleine forme, il traversa la galerie des ancêtres figés dans leur cadre et curieusement les trouva un peu moins revêches. Yann descendit l'escalier, des notes sur le piano venaient du petit salon. Ce n'était pas le Rêve d'Amour, mais avec nettement moins de romantisme le travail répété d'accords. Pourtant c'était bien Isabelle, dans une robe bleue ornée de dentelle au col et aux poignets. Il se précipita et se pencha sur elle pour l'embrasser avec toute sa passion jusque-là retenue. Elle lui rendit son baiser avec la même ardeur. Sa bouche était douce comme un fruit et Yann s'abreuva longuement à cette source fraîche.

– Bonne année Isabelle, murmura t-il en mettant dans ce simple souhait toute la tendresse du monde.

– Bonne année à vous aussi, Yann chéri, osa t-elle. Un nouveau baiser les unit. Jusqu'au toussotement discret annonçant l'entrée d'Hubert dans le petit salon.

– On dit que les amoureux sont seuls au monde, plaisanta l'officier, ce n'est hélas pas le cas ici. Je te souhaite pourtant, chère petite soeur, une très bonne et très heureuse année. Ah ! au fait, notre déjeuner sera un peu plus officiel que je ne l'imaginais, maman vient de m'annoncer que nous avons un invité supplémentaire en la personne de François d'Arnonvelles.

– Ah non, pas lui ! s'exclama Isabelle, il est plus fat qu'un paon et aussi ennuyeux qu'un bonnet de nuit.

– Allons petite soeur, je te trouve sévère. Il est vrai que ce cher baron n'est pas un boute-en-train, mais tu sais bien que son père et le nôtre étaient très liés. De plus c'est un cavalier, même s'il est surtout à cheval sur les principes.

– Je n'aime pas sa façon de me regarder, maugréa Isabelle, et je trouve qu'il vient bien souvent à la maison depuis quelques mois.

L'arrivée des parents mit fin à la conversation, mais c'est une Isabelle boudeuse qui les accueillit. Yann offrit ses voeux et l'atmosphère se détendit quelque peu. Jusqu'à l'arrivée du baron d'Arnonvelles qui salua respectueusement ses hôtes, aimablement Hubert et assez froidement Yann, qui lui fut présenté comme un marin et camarade de combat d'Hubert en Extrême-Orient.

Comme s'il avait senti en lui un rival, il n'adressa pas un mot à Yann durant le repas. Il devait approcher de la quarantaine et avait le port avantageux, la moustache bien taillée et un monocle. Yann espéra que le lorgnon tomberait dans la soupière lorsque la gouvernante présenterait le potage, mais il ne fut pas exaucé. Le baron avait apporté des chocolats pour Madame de Valclouet et des pralines destinées à Isabelle. Cette dernière remercia poliment et posa le paquet ficelé d'or sur la cheminée sans plus s'en préoccuper. Il avait fait remettre aux cuisines, dit-il, deux faisans dorés tués l'avant-veille sachant le comte friand de gibier. Ces cadeaux consternèrent le pauvre Yann qui n'avait rien amené. Il se dit qu'il n'avait guère eu le temps, mais dut s'avouer intérieurement que la seule pensée de revoir Isabelle avait occupé son esprit.

La dinde aux marrons amena Yann, avec la plus insigne mauvaise foi, à trouver que François d'Arnonvelles ressemblait à un dindon, et cette pensée le fit sourire. Mais les compliments à l'adresse d'Isabelle concernant ses études, sa virtuosité au piano ou ses talents de cavalière, lui échauffaient sérieusement les oreilles. A la fin du repas, Yann détestait l'intrus et eut volontiers proposé un combat de boxe opposant la cavalerie à la marine pour les yeux d'Isabelle. Celle-ci, il est vrai, avait déjà choisi son champion.

Yann avait immédiatement compris le danger et jaugé l'adversaire. Dans un autre registre et pour un enjeu autrement important qu'une coupe en métal argenté, celui-là était cent fois plus redoutable que le tirailleur d'Alger. A son titre de noblesse, son château – il en avait abondamment parlé – et sa fortune, Yann n'avait à opposer que sa jeunesse et ses yeux bleus. Des arguments au demeurant solides puisqu'ils faisaient pencher la balance en sa faveur, mais résisteraient-ils à la séparation face à un rival présent et surtout bien en cour auprès des parents ?

Yann avait un allié dans la place, c'est vrai, mais Hubert allait repartir au bout du monde. Les yeux clos dans le fauteuil du grand salon, le jeune homme s'interrogeait. Devait-il tout à trac déclarer son amour et demander la main d'Isabelle ? Et si on le jetait dehors ? L'enlever et partir avec elle ? Elle était mineure et il avait encore six mois d'armée à effectuer. Alors ? Yann conclut qu'il ne fallait rien précipiter, Isabelle l'aimait c'était bien cela le plus important. Elle le lui écrivait chaque mois et la façon dont elle lui avait rendu son baiser en portait témoignage.

Yann sursauta à la vue d'une flamme devant son visage. Celle du chandelier qu'avec un peu de condescendance lui présentait François d'Arnonvelles, afin qu'il allumât le havane qu'il avait gardé à la bouche. Yann eut volontiers écrasé le bout incandescent du cigare sur le visage trop sûr de lui du baron.

Quoiqu'il puisse arriver dans l'avenir, Yann savait qu'il n'oublierait jamais plus cette journée du 4 Janvier 1888. C'était à priori un jour comme les autres qui n'annonçait rien de particulier, un matin d'hiver en Touraine plutôt frisquet mais bien ordinaire. Sauf peut-être cette animation inhabituelle qui avait réveillé Yann vers sept heures. Dans la torpeur bienheureuse d'un demi-sommeil, il avait vaguement entendu du bruit dans les couloirs et l'escalier de la maison, généralement silencieuse à cette heure. Avant de se rendormir, il lui avait semblé qu'un cheval piaffait sous sa fenêtre. Lavé et rasé de frais, il était descendu un peu avant dix heures prendre le petit déjeuner substantiel que la gouvernante lui apportait dans la salle à manger. Au thé, dont il avait pris le goût en Extrême-Orient, et aux tartines beurrées Yann faisait succéder les délicieuses rillettes de Tours arrosées de cette liqueur d'or issue des côteaux de Vouvray.

Il était assis depuis quelques minutes et faisait largement honneur au plateau garni lorsque Hubert vint le rejoindre. La chose était habituelle, ce qui l'était moins c'est qu'il était déjà habillé de pied en cap, élégant comme toujours mais apparemment prêt à sortir. Après les plaisanteries matinales coutumières chez les deux hommes, et alors qu'Hubert dégustait son thé de Chine à petites gorgées, Yann lui dit en souriant :

– Déjà en tenue de sortie, Hubert, je ne serais pas surpris que vous alliez à un rendez-vous galant.

– Cela, mon cher Yann, je ne puis vous le dire mais il est vrai que je sors et ne serai de retour qu'en fin de journée. Mes parents ont dû partir ce matin, appelés à Tours par une histoire de succession. Gauthier les a emmenés à la gare de bonne heure.

Yann se souvint d'avoir entendu d'une oreille distraite parler de cette affaire embrouillée la veille au soir, mais plus attentif aux yeux d'Isabelle il n'y avait guère prêté attention.

– Donc, mon cher Yann, je vous confie la maison, dit Hubert, Victoire vous mijotera j'en suis sûr un bon déjeuner et la journée se passera bien.

Spontanée, la question manqua jaillir des lèvres de Yann, mais il réalisa ce qu'elle pouvait avoir d'inconvenant et resta bouche ouverte. Isabelle ? Elle était avec ses parents, naturellement. Hubert feignit de n'avoir rien remarqué et continua.

– Pour un jour vous voilà donc investi d'une lourde responsabilité, garder le domaine ancestral des Valclouet.

Le visage de l'officier retrouva son sérieux et Yann nota le ton plus grave de la voix de son ami.

– Il y a aussi autre chose, Yann, avec la maison je vous confie également Isabelle. Je sais combien elle vous est chère, et pour la bien connaître je crois qu'elle est très éprise de vous. Vous savez comme moi la fragilité du coeur romantique des jeunes filles, il est normal qu'elle ait succombé à votre charme, mais je ne voudrais pas qu'elle ait à en souffrir. Vous n'ignorez pas l'amitié que je vous porte et tout ce qui nous unit. Je sais aussi que vous êtes un garçon loyal, c'est à cette loyauté que je fais appel aujourd'hui. Prenez bien soin d'elle, Yann.

La gorge nouée par l'émotion, Yann ne sut que répondre. Il avait compris qu'Hubert les laissait volontairement seuls, profitant de l'absence de ses parents. Pour que leur soit donné un peu de cette intimité à laquelle aspirent les amoureux. L'appel à sa loyauté l'avait aussi bouleversé, dans la mesure où Hubert et lui parlaient le même langage. Celui de l'honneur. Il serra à la broyer la main de son ami.

– Merci Hubert ! Vous pouvez avoir confiance en moi, je veillerai avec le plus grand soin sur la maison... et aussi sur votre soeur. Je crois que nous nous comprenons. Je vous dois déjà beaucoup, en fait je vous dois tout, mais je n'oublierai pas ce que vous faites aujourd'hui.

– Et moi je vous dois la vie ! Eh bien, disons que nous sommes mutuellement débiteurs. A ce soir, cher Yann, Gauthier viendra me chercher où il sait et me ramènera vers sept heures.

Un peu abasourdi, Yann demeurait rêveur. Le claquement des sabots du cheval quittant la propriété le ramena à la réalité. Des sentiments contradictoires se mêlaient en lui, de joie d'abord mais aussi d'une certaine inquiétude, d'enthousiasme et de mélancolie. Il lui fallait retrouver son calme, il sortit dans le parc et marcha un peu sous la voûte des grands arbres. L'air frais lui fit du bien et chassa lentement cette bouffée de nostalgie qui l'avait envahi sans qu'il puisse l'expliquer, cette indéfinissable appréhension. Son tempérament résolument optimiste balaya la vague sensation de malaise et seule subsista la joie profonde, folle, inespérée d'une journée avec Isabelle en toute liberté sans avoir à se cacher.

Il aurait voulu chanter et esquissa un petit pas de danse sous les grands arbres. En revenant vers la maison il vit Isabelle à la fenêtre de sa chambre, elle le regardait venir et de sa main portée à ses lèvres elle lui envoya un baiser. Le coeur ensoleillé, Yann lui rendit son baiser et lui fit signe de descendre, elle ne savait pas, elle ne pouvait savoir, il fallait qu'il lui apprenne la grande, la formidable nouvelle. Il gravit quatre à quatre les marches de pierre, entra comme un fou et claqua la porte derrière lui pour arriver en même temps que la jeune fille au pied de l'escalier. Il lui ouvrit les bras et elle s'y précipita, longtemps il la garda serrée contre lui sans parler, lui caressant les cheveux. Il la sentait chaude et vibrante, alors il se pencha sur sa bouche et un long baiser les unit. La gouvernante qui sortait de la salle à manger avec les reliefs du petit déjeuner faillit en laisser choir son plateau. Elle sourit avec attendrissement et regagna sa cuisine en soupirant. Quand même, que le temps passait vite. Il n'y avait pas si longtemps que cette petite fille jouait à la poupée et elle était devenue une femme amoureuse.

*

* *

L'après-midi touche à sa fin, mais à travers la vitre les derniers rayons du soleil éclairent encore suffisamment la chambre. Depuis des heures les amoureux se sont réfugiés dans ce décor d'un autre âge, allongés sur la courtepointe du grand lit à baldaquin. Redressé sur un coude, Yann contemple Isabelle alanguie tout contre lui et s'émerveille de tant de beautés. Ses longs cheveux blonds répandus sur l'oreiller, ses yeux brillants de désir et sa bouche gonflée par les baisers l'attirent irrésistiblement. Par l'échancrure du corsage, sa main caresse un sein et l'emprisonne avant d'en frôler la pointe soudain durcie. Le garçon dégrafe les premiers boutons et la main caressante prend possession de l'autre sein, provoquant la même réaction de désir. Isabelle a fermé les yeux et sa respiration s'accélère au rythme alterné des caresses. Alors, Yann se penche sur la bouche qui s'entrouvre consentante et leurs souffles se mêlent. Des lèvres d'Isabelle monte un gémissement presque douloureux, tandis que la main se fait tour à tour délicieusement tendre ou impérieusement possessive.

Il en est comme d'un rêve que l'on vit sans trop savoir s'il est songe ou réalité, le fil est si ténu qui relie l'un à l'autre. Tout s'est enchaîné si naturellement, si merveilleusement, du baiser au pied de l'escalier jusqu'au grand lit à baldaquin. Le déjeuner en amoureux ponctué de baisers fous, servi par la gouvernante complice après la longue promenade dans le parc et les serments échangés sur le banc de pierre. Et le temps a glissé comme le sable entre les doigts. Les tentures de velours ont étouffé le bruit des baisers et le ciel de lit garde enclos les premiers émois d'Isabelle.

Le sang bat aux tempes de Yann, sa main descend doucement vers le ventre de la jeune fille engourdie de plaisir. Les doigts retroussent lentement la jupe et le jupon de dentelle et la main se fait caressante lorsqu'elle atteint la lisière du bas, là où la chair est de velours. Violent, irrésistible, un élan sauvage submerge le garçon. Bon Dieu ! Comme à

Hanoï ou Saint-Malo, que n'arrache t-il ces derniers voiles, ces dentelles enrubannées pour se jeter sur elle, la couvrir de son corps et la posséder ? Il la sait consentante et soumise à sa volonté. Elle est arrivée à ce point où la peur d'être déflorée est moins forte que la pulsion viscérale qui l'amène à subir la loi du mâle.

Yann est tendu comme un arc et son corps lui fait mal. Sa main se fait persuasive qui ouvre les jambes de la jeune fille, et se pose comme pour une prise de possession sur la toison soyeuse. Avant que d'oser la caresse des doigts Yann regarde sa bien-aimée. Elle conserve ses yeux fermés, mais une vive rougeur a coloré ses pommettes et sa respiration s'est faite haletante. Ainsi, elle ressemble à son frère, à Hubert, lorsqu'il s'encanaille aux putains tonkinoises.

Une onde glacée traverse l'échine de Yann. Hubert ? Et son appel à la loyauté de l'ami ? La sueur inonde son front tout à coup comme d'un accès de fièvre, et sa main tremble presque en rabattant la jupe. Les baisers qu'il pose maintenant sur les lèvres d'Isabelle, sur ses yeux clos, sur son visage n'ont plus cette fébrilité passionnée de tout à l'heure. La vague de désir s'apaise en lui et vient mourir en vaguelette de tendresse, alors il enfouit son visage dans la chevelure éployée, silencieux, tandis que s'éteint lentement cette flambée presque bestiale qui l'anéantissait. Il se lève et va baigner son visage dans l'eau froide. Après s'être rajusté il revient dans la chambre que la pénombre envahit maintenant. Assise sur le lit, Isabelle lui sourit. Elle aussi, semble t-il, a retrouvé sa sérénité et a un geste qui bouleverse Yann. Elle lui prend la main et la porte à ses lèvres, comme avec dévotion. Reconnaissance ? Compassion ? Yann ne saura jamais mais un sentiment de fierté l'envahit.

Habité par une sensation de bonheur comme il n'en avait jamais éprouvé, Yann passa une soirée merveilleuse que ne troubla même pas le retour des parents vers huit heures. Hubert et lui avaient jusque là écouté le piano d'Isabelle jouer avec romantisme le Rêve d'Amour, et les deux hommes s'accordèrent pour reconnaître que l'interprète s'était ce soir-là surpassée.

*

* *

Dans le train qui roulait vers Rennes, Yann semblait somnoler sur son siège dans le compartiment bondé. Mais sous ses paupières baissées défilaient des images, celles qui avaient marqué d'événements fantastiques les dernières semaines depuis le tournoi de boxe jusqu'à son départ d'Amboise, la veille. Les deux derniers jours en Touraine s'étaient tranquillement écoulés, sorte de calme après la tempête, jusqu'à l'heure du départ. Il n'avait bien sûr pas retrouvé d'intimité avec isabelle, mais qu'importe puisqu'il partait assuré de son amour, et qu'il reviendrait la chercher un jour pour qu'elle soit sa femme. Il savait qu'elle l'attendrait et qu'elle se garderait pour lui. Yann l'avait encore lu dans ses yeux, en lui faisant ses adieux devant toute la famille. Hubert partirait le lendemain à son tour, et avait donné l'accolade à son ami avant qu'il ne monte dans la carriole de Gauthier. Il restait à Yann quelques jours de permission, il allait les passer à Saint-Malo et s'en réjouissait.

Lorsqu'il avait posé le pied sur le sol parisien, la nuit était tombée. Son sac sur l'épaule, Yann quitta la gare. A l'angle d'une rue sombre, quelques filles faisaient les cent pas et l'apparition de ce grand et solide marin déclencha leurs invites. Le coeur a sans doute ses raisons, mais le corps à les siennes et le marin se laissa prendre à l'abordage. Les filles faisaient de la surenchère pour l'emporter, énumérant sans vergogne leurs talents et leur spécialité. Yann jeta son dévolu sur celle qui se tenait le plus loin du réverbère, elle ne s'était pas jetée sur lui comme les autres et cette réserve lui sembla de bon augure. Comme sa discrète élégance et le chapeau à fleurs qui la coiffait. L'élue, ravie, se pendit à son bras et l'emmena vers l'hôtel au fond de la rue sous les quolibets des autres filles.

Impitoyable, le lumignon qui éclairait la chambre sommairement meublée révéla à Yann atterré que sa partenaire du moment n'était pas un perdreau de l'année, mais plutôt une vieille poule de réforme. Sa réserve, loin du réverbère, et son chapeau à fleurs s'expliquaient mieux maintenant. Mais... à la guerre comme à la guerre. Après avoir payé la somme d'ailleurs modique réclamée et baissé le gaz du lumignon, Yann se jeta sur la dame d'âge pourtant respectable avec une fougue qui la surprit. En moins de deux minutes, l'affaire était conclue.

Sans quitter le sujet et avec une vaillance égale, il renouvela son assaut frénétique sur la fille incrédule. Elle en avait peut-être vu d'autres, mais lorsqu'il repartit sans dételer pour une troisième course au plaisir, elle fut un peu estomaquée. Lorsqu'elle raconterait ça aux copines, pensa t-elle, les autres refuseraient de la croire. Après une rapide toilette dans le lavabo ébréché Yann se rajusta, remit son caban et coiffa son béret. Il salua courtoisement la dame, sortit de l'hôtel en sifflotant et le sac sur l'épaule prit la direction de Montparnasse.

Prévenue par un télégramme, Catherine attendait son fils à la gare de Saint-Malo. Yann se jeta dans ses bras redevenant le petit garçon des jours insouciants, et profondément heureux de retrouver cette maman aimée. Il eut un petit pincement au coeur en voyant que ses cheveux avaient beaucoup blanchi, la fuite inexorable du temps la conduisait sur ses cinquante-deux ans. Il se fit encore plus tendre, prenant son bras et riant avec elle tout au long du chemin de la maison.

Durant la dizaine de jours qu'il passa dans sa ville natale, Yann fut un modèle de sagesse. Pas de sortie nocturne dans les mauvais lieux, pas d'aventure amoureuse. Le coeur aimant – et le corps apaisé – il ne s'aventura même pas vers la rue de l'Orme à la rencontre de sa petite amie la crémière. Avant de regagner pour quelques mois la Tunisie, il s'imprégna des senteurs malouines chères à sa mémoire. Celle du poisson frais des marchandes de la rue, dans leurs longs paniers arrondis aux extrémités. L'acre odeur du brai et du coaltar bouillant des calfats de l'anse Solidor, dans le bruit sourd des maillets de chêne frappant en cadence pour colmater avec l'étoupe résineuse les coques des trois-mâts terre-neuviers. Dans le bassin, Yann retrouvait les bateaux de sa jeunesse et les marins retraités qui pratiquaient la petite pêche. Leurs épouses les attendaient pour aller – après avoir accompli la déclaration d'octroi – proposer les maquereaux bleus striés de noir enveloppés d'une serpillière gorgée d'eau de mer, aux dames de la ville.

Le bruit des charrettes et des tombereaux aux roues cerclées de fer sur les pavés, tous les cris de la rue et le spectacle des scieurs de long qui, deux à deux, débitaient les bordés des futures goélettes, Yann allait les emporter avec lui au pays des minarets. Sur la Méditerranée aux flots bleus, les boutres arabes à l'arrière très élevé remplaceraient le vieux bac à vapeur que Yann avait toujours connu, assurant d'une rive à l'autre de la Rance la navette entre Saint-Malo et Dinard. Ce n'était pas un vaisseau de haut-bord celui-là, et la traversée ne durait qu'un quart d'heure mais sa large panse et ses roues à aube lui donnaient un air majestueux. Un capitaine et un matelot en composaient l'équipage avec un mécanicien préposé aux machines. Yann avait toujours aimé ce bateau, qui dans les tempêtes roulait bord sur bord vomissant des torrents d'eau et bravant les éléments déchaînés. Le jeune homme n'avait pas oublié une de ses traversées où parti de Dinard à trois heures et dépourvu de pression, le « Patouillard » fut entrainé par le courant avec ses onze passagers. Ceux-ci avaient aidé au mouillage de l'ancre. Une aventure digne du radeau de la Méduse. Le bac de Saint-Servan avait essayé en vain de le remorquer et ce ne fut qu'au bout d'une heure que la pression suffisante de vapeur lui permit d'accoster la cale du Grand Bé... à six heures du soir.

Le capitaine n'était plus celui de sa jeunesse, mais le matelot n'avait pas changé. Il raconta à Yann la fortune de mer survenue l'été dernier à Dinard à ce vénérable bateau. Alors qu'il était accosté à la cale, une lame de ressac fit monter le tambour d'une de ses roues sur la pente à la marée descendante. Le bac resta donc suspendu par une de ses « ailes » comme un oiseau, mais ne put hélas s'envoler. Après être resté perché à six mètres de hauteur, il s'abattit à mer basse lamentablement sur la grève ce qui lui occasionna quelques semaines de repos. Il était heureusement vide, et Yann se paya une pinte de bon sang en apprenant cette aventure.

*
* *

Depuis la vallée du Rhône le mistral soufflait avec violence sur Marseille, mais le soleil brillait dans un ciel sans nuages lorsque Yann descendit du train à la gare Saint-Charles. Portant sur l'épaule son sac lesté des douceurs glissées par sa mère, il musarda le long de la Canebière animée à cette heure et descendit vers la Bourse et le Vieux-Port. Le bâtiment de la marine nationale sur lequel il devait embarquer était amarré en couple d'un aviso. A l'échelle de coupée, Yann présenta au factionnaire sa permission visée par la gendarmerie de Saint-Malo et monta à bord.

– Ah ! Voici notre champion, s'exclama un officier en venant à sa rencontre la main tendue.

Yann salua réglementairement avant de serrer la main de l'Enseigne de deuxième classe.

– Alors, Bellec, cette permission s'est bien passée ?

– Parfaitement bien, lieutenant, je vous remercie.

L'officier indiqua au jeune homme comment rejoindre la cabine qui lui était assignée, et Yann emprunta les étroites coursives jusqu'à la porte désignée où il frappa.

– Entrez ! dit une voix familière. Déjà installé, le maître principal Lorphelin accueillit chaleureusement son élève.

– Comment va, mon petit Yann ? Tu es fidèle au rendez-vous, c'est bien ! Nous lèverons l'ancre demain matin m'a dit le commandant, cap sur Tunis et sans escale !

Le maître d'armes sortit de sa valise une bouteille d'hydromel et les deux hommes trinquèrent aux retrouvailles. Pour des raisons différentes, ils étaient l'un et l'autre enchantés de leur séjour en France et l'officier-marinier ne cacha pas son bonheur d'avoir pu – grâce à Yann – passer auprès des siens une permission inespérée.

– Si dans neuf mois mon gars et ma fille ont un petit frère ou une petite soeur, ce sera toi le parrain, je te dois bien ça !

Yann promit en riant, restant quant à lui discret sur ses amours et ses espérances. Le soir venu, dans sa couchette, il pensa longuement à celle qu'il aimait, échafaudant de mirifiques projets. Dans six mois la marine le libérerait et il pourrait alors demander à ses parents la main d'Isabelle. Il s'interrogea sur le costume qu'il conviendrait d'endosser pour la circonstance – sans doute le gris à rayures – mais il avait lu quelque part que le soupirant se devait d'être ganté pour officialiser la démarche. Bah ! Il achèterait des gants à Saint-Malo et peut-être aussi une montre. Le maître-principal avait accroché la sienne à la tête de sa couchette, Yann se leva et vint regarder l'heure à la lueur de la veilleuse. Il était près de minuit et tout était silencieux à bord, Yann se recoucha et s'endormit presque aussitôt.

Le jour n'était pas encore levé lorsque le trépidement caractéristique des machines ébranla le bâtiment. Yann ouvrit un oeil. Des commandements, des pas martelés au dessus de sa tête lui confirmèrent que le bateau appareillait. Dans la couchette voisine son entraîneur dormait du sommeil du juste, et Yann passager occasionnel d'un navire de guerre estima qu'il pouvait bien profiter des circonstances. Il se retourna face à la cloison et se rendormit.

La gloire était-elle fugitive ? Pour ce voyage de retour, Yann ne fut pas convié à prendre ses repas au carré des officiers. Il partagea l'ordinaire des matelots et s'en trouva fort bien. Champion de boxe de la marine il fut l'objet des attentions de ses camarades, et d'aucuns choisirent de témoigner leur admiration en lui offrant leur quart de vin. Grand seigneur, Yann partagea cet hommage liquide avec deux marins originaires comme lui de Saint-Malo.

Le lendemain soir, Yann et son entraîneur débarquaient à Tunis et rejoignaient leur cantonnement. De nouveau fêté dans sa chambrée le champion finit par s'endormir lourdement, terrassé par la fatigue autant que par les libations. Le clairon dont il avait oublié le son aigrelet le jeta à bas de son lit à six heures. Le fusilier-marin Bellec retrouvait la routine quotidienne au sein d'une unité, qui pour avoir remporté la coupe Inter-Armes n'en était pas moins astreinte aux rigueurs de la discipline militaire. La vie continuait.

Le soleil n'était pas encore très chaud en ce mois de février, mais c'est pourtant en plein air que le ring avait été dressé non loin de la mosquée des Trois-Portes au coeur de Kairouan. Les militaires se pressaient nombreux, mais une foule bigarrée de Tunisiens était venue assister au spectacle. Une série de matches-exhibitions, conclue par le maître d'armes et approuvée par le commandement de la marine, avait amené Yann à se produire depuis trois semaines dans plusieurs villes de Tunisie. Le jeune homme avait accueilli avec joie l'annonce d'une tournée destinée à promouvoir les sports de combat au sein des unités militaires. Et puis, la marine en tirait également un certain prestige en présentant le vainqueur de la dernière coupe. Pour Yann c'était aussi l'occasion d'échapper un mois durant à la monotonie de la vie de garnison faite de manoeuvres, de défilés ou de corvées.

Qualifiées d'exhibitions, les rencontres étaient en fait de véritables combats. Les pugilistes plus ou moins expérimentés qu'on opposait à Yann, brûlaient d'en découdre avec le champion. On leur avait donné l'ordre de ne pas appuyer leurs coups, Yann lui-même devant ménager ses adversaires, mais après une ou deux reprises d'observation ils s'enhardissaient, stimulés par les spectateurs qui réclamaient un peu plus d'ardeur au combat. Il fallait bien y répondre sous peine de se voir huer et siffler; alors les boxeurs piqués au jeu se donnaient davantage. Pour peu que l'un des deux touchât juste, et l'esprit de corps aidant, la bagarre se déclenchait, quelquefois sanglante. Comme la semaine passée à Sousse, où Yann avait eu l'imprudence au cours de la première reprise d'attarder un peu trop son regard sur le superbe golfe d'Hammamet. Le colosse qui lui faisait face en avait lâchement profité, et le marin s'était retrouvé assis sur son derrière après avoir reçu un terrible direct en pleine face. Les jambes coupées, le nez tuméfié par la violence du coup mais surtout horriblement vexé, Yann s'était relevé avec l'aide de l'arbitre.

Pour la plus grande joie du public massé au pied du ring et malgré les recommandations de son entraîneur, il s'était lancé avec rage sur le déloyal adversaire et l'exhibition s'était transformée en combat de rues. Jusqu'au moment où sanguinolent et laminé par les coups, l'autre avait trouvé son salut dans la fuite. Se glissant entre les cordes il était descendu du ring et avait catégoriquement refusé de remonter affronter ce sauvage. Dans le tumulte ambiant, c'est le maître d'armes de Yann qui avait dû lui-même boxer contre son élève pour éviter l'émeute. Les deux hommes donnèrent un excellent spectacle, et seuls les initiés auraient pu remarquer que les coups assénés avec violence n'arrivaient que dans les gants adverses ou sur les bras et les épaules.

Dernière rencontre de la tournée de promotion, celle de Kairouan ne dérogea pas à la règle. Enhardi par la retenue du champion appliqué surtout à l'élégance du style, le représentant de la garnison se déchaîna. Pas très grand mais solidement charpenté, il était heureusement plus puissant qu'adroit. Ses bras battaient l'air comme des moulins à vent et la plupart de ses coups se perdaient dans le vide. Yann esquivait sans trop de mal et bon prince ne ripostait qu'à peine, visiblement amusé. La perspective du départ pour Tunis le lendemain matin, les lettres d'Isabelle qu'il trouverait en arrivant et les copains qui ne manqueraient pas d'arroser son retour, le mettaient d'humeur exquise et l'inclinaient à l'indulgence.

L'adversaire en revanche ne semblait pas devoir quitter la ville ni attendre de lettres d'amour, ses copains étaient au bord du ring et toute son énergie était concentrée sur un seul but : torpiller le marin. Quatre reprises restaient à disputer, lorsque dans un corps à corps furieux les deux têtes se heurtèrent avec violence. Taillé dans le granit breton le crâne de Yann s'en tira sans trop de mal, par contre l'adversaire profondément coupé à l'arcade sourcilière fut rapidement aveuglé par le sang. La blessure n'était pas très grave mais plutôt spectaculaire, car le visage barbouillé de sang n'était plus qu'un masque sanglant. L'arbitre décida d'arrêter la rencontre, mais le public qui n'avait pourtant pas payé ne l'entendait pas ainsi. Frustrés du spectacle et plus encore du retrait sans gloire de leur représentant, une trentaine de militaires montèrent à l'assaut du ring pour se venger sur l'arbitre – et peut-être aussi sur Yann – du fiasco de la soirée.

Il y eut une brève échauffourée, le maître d'armes et Yann tentaient de protéger l'arbitre en lui faisant un rempart de leurs corps. Un soldat particulièrement excité avait empoigné un tabouret et le brandissait au-dessus de la mélée. Il n'eut pas le temps de l'abattre. Surchargé, le ring s'effondra dans un fracas de fin du monde et un nuage de poussière, entraînant dans sa chute tous ses occupants.

Les sports de combat n'avaient, semble-t-il, nul besoin de promotion. Au milieu des cris de douleur des blessés, les hurlements de rage et les ordres criés par les gradés la bagarre devint générale, chacun ayant choisi son camp. A l'écart, les tunisiens de la ville sainte ouvraient de grands yeux devant ce déferlement de violence dont par expérience ils n'attendaient rien de bon. Seulement vêtu d'un collant bleu, Yann réussit à s'esquiver en compagnie du maître d'armes. Poursuivis par quelques irréductibles, les deux hommes ne les semèrent qu'aux alentours de la Grande-

Mosquée. C'est une patrouille en armes qui les ramena au cantonnement. Le lendemain matin ils reprenaient la route de Sousse afin d'embarquer et de mettre le cap sur Tunis.

*

* *

– Ce n'est pas possible, Bayec, cherche mieux dans tes casiers ! Tu as forcément quelque chose pour moi !

– Puisque je te dis que je n'ai rien !

Le vaguemestre de l'unité commençait à s'énerver sérieusement. Il était sûr de n'avoir aucune lettre au nom de Yann Bellec. Bon Dieu ! Il les connaissait bien ces enveloppes mauves où l'adresse était tracée d'une fine écriture, mais durant tout le mois de février il n'en avait reçu aucune.

Comme abasourdi Yann restait là, incrédule. Devant tant de désarroi, le vaguemestre ne se risqua pas aux plaisanteries habituelles sur la fidélité des femmes de marins. Il aimait bien ce grand garçon, breton comme lui, et devinait son chagrin. Il tenta de lui remonter le moral.

– Bah ! T'en fais pas, elle n'a peut-être pas pu écrire et puis tu sais il y a aussi des lettres qui se perdent, c'est loin la France.

– Merci vieux, excuse-moi de t'avoir un peu bousculé, j'étais tellement sûr...

– T'inquiète pas, sourit Bayec, je sais ce que c'est quand on est sans nouvelles.

Le mois de Mars se passa sans qu'Isabelle se manifeste, et le regard du vaguemestre évitait maintenant celui de Yann à l'heure du courrier. Pourtant blanchi sous le harnois, Bayec était sensible à la détresse de son « pays » et – en privé – disait pis que pendre des femelles traîtresses.

Deux mois. Il y avait maintenant plus de deux mois qu'Isabelle n'avait pas écrit et Yann passait par des alternatives d'espoir ou d'abattement. Elle l'avait oublié ou elle en aimait un autre. Mais pourquoi n'avait-elle pas la franchise de le lui écrire ? Pourquoi le laisser dans le doute, dans l'angoisse ? Savait-elle au moins la souffrance qu'elle lui infligeait ? Dans ces moments là, Yann la maudissait et la méprisait.

Et puis, redevenu calme après les crises de larmes, après ces sanglots silencieux qui lui déchiraient le coeur dans la solitude de la nuit alors que la chambrée dormait, il se répétait pour la millième fois les mêmes interrogations. Etait-elle malade, morte peut-être ? Qu'avait-il pu lui arriver et pourquoi n'avait-elle pas répondu aux lettres angoissées qu'il écrivait chaque semaine ? Yann repoussait en bloc toutes les hypothèses alarmistes mais ne trouvait aucune réponse à ses questions et cette incertitude le torturait.

Le sourire de Bayec illuminait son visage lorsque au rapport du midi il distribua le courrier. Cette enveloppe mauve, le vaguemestre la reconnaissait entre mille. Il la remit à Yann sans commentaires, mais les deux hommes s'étaient compris. Yann enfouit la lettre d'Isabelle dans la poche de sa chemise, il la sentait comme une brûlure contre sa poitrine et aurait donné dix ans de sa vie pour la lire tout de suite. Il lui fallait se contenir et attendre le fatidique « rompez les rangs » qui le libérerait. Ce midi, il ne mangerait pas. Quelle importance ? Il s'assit sur un banc au soleil dans la cour. Il lui fallait être seul pour savourer son bonheur ou sa désespérance, et ses mains tremblaient en décachetant maladroitement l'enveloppe qui allait peut-être bouleverser son destin.

La lettre n'était pas très longue et semblait avoir été griffonnée à la hâte. Yann se jeta d'abord sur les dernières phrases de la missive. Aussi tendres sinon plus que celles de la dernière lettre d'Isabelle, celles-ci affirmaient plus encore l'amour passionné qu'elle lui portait, et renouvelaient le serment de n'aimer que lui à jamais. Une immense bouffée de bonheur submergea le garçon. Comment avait-il pu douter d'elle ?

Dans sa briéveté la lettre apportait les plus mauvaises nouvelles. Son père, disait Isabelle, avait surpris le fidèle garde-chasse au moment où il remettait à la jeune fille une lettre de Yann. C'était au début de Février, et la scène avait été terrible. Questionné, Gauthier avait dû avouer au comte de Valclouet le rôle de messager qu'il tenait depuis plus d'un an. Mais nonobstant des années de bons et loyaux services, il avait été chassé séance tenante et contraint de quitter le jour-même la petite maison qu'avec sa famille il occupait dans le parc de la propriété.

Quant à Isabelle, elle avait entendu flétrir sa conduite et stigmatiser son attitude en des termes accablants. Elle avait eu beau plaider sa cause, jurer que Yann l'avait respectée et évoquer la grandeur des sentiments qui les unissaient, il n'y avait eu rien à faire pour apaiser la colère et l'indignation d'un père outragé. Pour avoir été plus compréhensive, la mère d'Isabelle avait tout de même condamné la façon dont sa fille avait entretenu une liaison sous son propre toit, et les parents avaient évoqué une possible retraite dans un couvent d'Amboise jusqu'à la majorité de la jeune fille. Avec le temps, sans que pourtant désarmât jamais le courroux paternel, les choses s'étaient un peu arrangées. Par contre, Isabelle était désormais étroitement surveillée et ne sortait plus qu'accompagnée. Seule la compréhension de Madame Duchemin, son professeur de piano, avait permis l'envoi de cette lettre. Isabelle lui avait tout raconté et celle-ci suppliée par son élève avait accepté. Une seule lettre, avait précisé le professeur sachant ce qu'elle risquait en l'occurence.

Isabelle demandait que Yann n'écrive plus, elle évoquait sa solitude et sa tristesse de ne pouvoir se confier à son frère dont on ne savait à quel bout du monde il naviguait. A sa majorité, disait-elle, elle serait libre d'aimer à la face du monde mais saurait-il l'attendre ? Des baisers et des serments terminaient une lettre mouillée de larmes que Yann relut trois fois, accablé.

Yann avait les nerfs solides mais la journée avait été rude et tout cela se mélangeait un peu dans sa tête, alors qu'allongé sur son lit il tentait de faire le point en butte à des sentiments contradictoires. Un seul élément positif mais il était de taille, Isabelle l'aimait toujours aussi fort. Pour le reste c'était moins flamboyant. Comment attendre deux ans avant de revoir celle qu'il aimait passionnément. Il n'était pas dans sa nature de subir les événements sans réagir, il avait mené d'autres batailles et triomphé d'autres obstacles. Il se battrait. Déjà il allait écrire au père d'Isabelle pour lui expliquer la pureté et la sincérité de son amour. Il lui dirait la grandeur d'un sentiment partagé et il trouverait les mots pour le convaincre. Ensuite – la fortune sourit aux audacieux – il ferait sa demande en mariage. Yann décida de réfléchir quelques jours sur le fond et la forme de cette lettre qui déciderait de son avenir, et s'endormit heureux.

« Monsieur,... Je considère que vous avez failli à l'honneur et trahi mon hospitalité. Le fait que mon fils vous ait ouvert les portes de notre maison eut justifié, me semble-t-il, que vous respectiez les règles de la bienséance, et n'aurait dû vous inspirer que des sentiments de respect et de reconnaissance... Les liens que vous avez su tisser avec un officier et le courage qu'en certaines circonstances vous avez, parait-il, montré ne vous autorisaient pas à vous conduire aussi indignement. En d'autres temps, je vous aurais personnellement demandé raison de cette forfaiture... » Eberlué, Yann lisait la lettre impitoyable du colonel comte de Valclouet, qui, sans vaine formule de politesse terminait son réquisitoire en interdisant à Yann de jamais reparaître devant ses yeux, sous peine d'être chassé comme un voleur.

Le ciel venait de tomber sur sa tête. Yann n'aurait pas à chercher plus longtemps pour sa lettre les termes propres à fléchir le père d'Isabelle. Celui-ci venait de cinglante façon de prendre les devants. A la stupéfaction succéda la peine, puis la colère. Quel mal avait-il fait pour être traité de cette façon ? Il n'avait tout de même pas volé l'argenterie des Valclouet, en quoi avait-il trahi ? Et l'amour était-il un crime ?

Les jours qui suivirent furent douloureusement vécus par le jeune fusilier-marin, et le ciel lumineux de Tunisie s'obscurcit d'une brume de mélancolie. Avec le temps, l'espoir finit par l'emporter. Dans un mois viendrait le départ pour la France et, au terme d'une ultime permission, il en aurait fini avec la vie militaire. Sûr de l'amour d'Isabelle comme du sien, il forcerait le destin. Quand bien même il lui faudrait attendre deux ans pour l'emmener avec lui, Yann savait qu'il en aurait le courage. Allons, rien n'était perdu !

*

* *

De Tunis à Marseille et de Marseille à Saint-Malo, juin était arrivé. Les derniers mois s'étaient passés vaille que vaille et Yann retrouvait sa ville sous le soleil estival, investie par des milliers de visiteurs amateurs d'air iodé et de bains de mer. Dans une quinzaine de jours il rallierait Lorient pour y être enfin rayé des contrôles de la marine nationale. Que ferait-il ensuite ? Yann n'avait pas de projets bien précis, sinon celui de savourer une liberté aliénée depuis cinq ans et de tout tenter pour revoir sa tendre, son infortunée Isabelle.

L'hiver, lui avait dit sa mère, avait été particulièrement cruel emmenant avec lui ses grands-parents âgés et malades, à quelques jours d'intervalle. Yann les pleura sincèrement comme il pleura le vieux capitaine Blin que l'on avait porté en terre aux derniers jours de Février. Avec eux partait aussi un peu de sa jeunesse. La crémerie de la rue de l'Orme avait changé de propriétaire, et sa jeune et fougueuse maîtresse de jadis avait été remplacée par une grande bringue à la moustache naissante. Heureusement, au coeur de la rue de la Soif le « Feu de Tribord » était toujours allumé. Yann y leva un soir une fringante pouliche, qui à l'usage se révéla pleine de ressources. Il trouva tout de même dommage qu'un si beau tempérament soit quelque peu terni par une mentalité résolument mercantile.

Le maigre pécule reçu à Lorient pour solde de tout compte n'allait certes pas lui permettre de mener grand train, mais Yann n'en avait cure. Il était libre et l'avenir lui appartenait d'autant plus qu'il avait désormais un but suprême, quelque chose qui brillait comme une étoile lointaine mais pas inaccessible. Avec un plaisir extrême, il retrouva les habitudes familières de sa jeunesse. Sur le banc de sable à marée basse il retourna à la pêche aux coques, et la nuit venue – armé d'un rateau et d'une lanterne – à celle du lançon, délicieux poisson frétillant, sorte d'anguille des sables dont il se régalait en friture. Les crabes poilus, Yann les ramassait à mer descendante dans les rochers sous la Cité d'Alet. Le repas assuré, il n'avait aucune peine à louer ses services tant que la saison battait son plein. A l'arrivée des trains de plaisir, il portait les bagages des voyageurs jusqu'aux fiacres dont les chevaux arboraient des chapeaux de paille, au travers desquels pointaient leurs oreilles. De la gare, il filait au port où il remplissait le même office avec les passagers débarquant d'Angleterre. L'après-midi Yann accompagnait les baigneurs à la plage, portant les pelles et les haveneaux et montant les cabines de toile.

Insouciantes et heureuses les journées emmenèrent Yann jusqu'à la fin de l'été, et il retrouva sa ville telle qu'il l'aimait. L'automne se passa sans que rien de marquant n'en troublât la sérénité, jusqu'au jour où une lettre postée à Amboise vint bouleverser le calme ambiant. Hubert de Valclouet en quelques lignes amicales annonçait sa prochaine visite à Saint-Malo et Yann en bondit d'allégresse. Il allait enfin savoir ce qui se passait là-bas derrière les hauts murs de cette propriété où se languissait Isabelle. Les choses s'arrangeaient peut-être puisque son ami venait le voir, à moins qu'il ne fut porteur de mauvaises nouvelles ? Yann ne savait plus que penser et attendit, chaque jour plus angoissé, que lui soit signifié le verdict.

La gravité d'Hubert contrastait un peu avec sa bonne humeur habituelle et Yann en eut le coeur serré. Pourtant, amicales et chaleureuses, les premières paroles de l'officier apaisèrent ses craintes. Hubert était toujours le même et tint d'abord, avec sa délicatesse coutumière à rassurer le jeune homme. Isabelle était en bonne santé et ses sentiments pour Yann n'avaient en rien changé, mais il n'y avait pas de changement non plus dans l'attitude intransigeante de son père. Hubert avait de toutes ses forces plaidé en faveur des amoureux, répondant de l'honnêteté de son ami, témoignant de sa valeur et de son courage mais il s'était heurté à un mur. A tel point qu'il s'était vu reprocher d'avoir donné son amitié à la légère, faisant entrer le loup dans la bergerie. Lui vivant, avait ajouté le comte de Valclouet, jamais une telle mésalliance ne se ferait et il renierait sa fille si, à sa majorité, elle passait outre à son refus. Consterné mais respectueux de la décision paternelle, Hubert avait dû s'incliner.

Désolé mais pourtant pas trop surpris après la lettre terrible qui lui avait été adressée, Yann interrogea son ami, que convenait-il de faire ?

– Surtout ne faites rien, dit Hubert, toute initiative en ce domaine serait désastreuse. Je sais que mon père ne reviendra jamais là-dessus. Soyez patient, Yann, dans moins de deux ans Isabelle sera majeure, il lui appartiendra alors de faire son choix mais elle m'a chargé d'une mission essentielle auprès de vous. Elle vous aime et saura vous attendre.

– Je vous remercie, Hubert, moi aussi je l'attendrai.

– Alors je vous souhaite d'être un jour heureux ensemble. Le bonheur de ma petite soeur me tient à coeur et vous êtes mon ami. Dans l'immédiat, quels sont vos projets ?

Yann dut avouer qu'il n'en avait pas de précis. Il avait envisagé quelque temps de mettre son sac sur un bateau long-courrier, mais avait renoncé rapidement. Sa mère lui avait fait jurer qu'il ne serait jamais un Terre-neuvas, et lui-même n'avait que peu de goût pour le travail d'usine.

– Ecoutez-moi, Yann, j'ai beaucoup pensé à tout cela depuis quelques semaines. Je crois qu'il vous faut voyager, acquérir de l'expérience tout en vous changeant les idées. Vous n'avez pas oublié notre ami anglais Ralph Beeston ?

– Comment l'oublierais-je ? Je n'ai jamais vu quelqu'un être saoul avec autant de dignité.

– C'est vrai, admit Hubert, mais c'est le côté folklorique du personnage. C'est aussi, c'est surtout, un grand industriel qui a des affaires dans le monde entier. Il possède des élevages et des filatures, touche à la navigation et aux chemins de fer comme il s'intéresse aux produits exotiques et aux pierres précieuses.

– Diable ! dit Yann, impressionné. Cela n'enlève rien à sa simplicité ni à sa gentillesse.

– Cela, mon cher Yann, c'est le privilège des vrais grands. Vous ne manquerez pas de le vérifier tout au long de votre vie. Donc, pour revenir à Ralph, je lui ai écrit il y a une quinzaine après avoir mûrement réfléchi. Je n'ai rien caché de la situation familiale qui nous concerne, et j'ai fait appel à son amitié. Par retour du courrier, il m'a répondu et sa lettre vous concerne au premier chef.

– Vraiment ?

– D'abord, il n'a pas oublié son séjour à Saint-Malo ni notre soirée fastueuse au Casino. Ensuite, il est prêt à vous aider et immédiatement si vous le souhaitez. Il vous suffira de lui écrire le moment venu et il vous enverra votre passage sur le steamer avec le nécessaire pour couvrir tous vos frais.

– Hubert, je ne sais comment...

– Laissons cela, Yann, il vous appartient d'en décider, mais je crois qu'il y a là une opportunité et une chance réelle de réussite. Sans doute faudra t-il travailler dur, mais je vous sais courageux.

– Je ne vous décevrai pas, Hubert, je le jure.

– Je sais, ami, j'ai confiance en vous et puis... n'est-il pas normal d'épauler son futur beau-frère ?

– Vous êtes un type merveilleux, Hubert, je vous remercie du fond du coeur.

– N'en parlons plus ! Mais, si je puis me permettre un conseil, mettez-vous rapidement à l'anglais, c'est la langue universelle et vous pourrez aller n'importe où ensuite.

– Promis, Hubert, après tout ce ne doit pas être plus difficile que le tonkinois, et je m'y étais bien mis...

– C'est vrai, sourit Hubert, mais je crois me souvenir que le charme des jeunes tonkinoises avait justifié cet apprentissage rapide.

Le même rire joyeux les réunit. Hubert donna à Yann l'adresse et les renseignements concernant Ralph Beeston, avant d'emmener son ami au restaurant pour un repas plantureux comme l'un et l'autre savaient l'apprécier. L'officier repartirait dans quelques jours pour un nouvel embarquement, et se montrait légèrement soucieux à la perspective de longs mois loin de France. La mélancolie manifestée par sa jeune soeur, les inquiétudes exprimées par son père sur les aléas de la Compagnie de Panama à laquelle celui-ci avait souscrit, ne laissaient pas de l'inquiéter quelque peu. Yann fut touché de ces confidences, et mit tout en oeuvre pour dérider son ami. La gaieté ambiante et les vins capiteux chasssèrent les nuages de morosité, si bien que sous le crachin hivernal de Saint-Malo ils se séparèrent avec du soleil dans le cœur.

Le printemps d'Australie s'embaume d'eucalyptus et la baie de Sydney en ce mois de septembre était somptueusement belle. Assis à la terrasse fleurie d'une petite auberge des hauts-plateaux Yann contemplait, rêveur, le grandiose panorama qui s'étendait à ses pieds. Dans l'air léger la fumée de son cigare montait droit au ciel, et par delà les fougères arborescentes il n'avait qu'à tourner la tête pour voir au loin se profiler les Blues Mountains de la Cordilière australienne. C'était un dimanche, et à l'instar de la puritaine Angleterre la vie publique de Sydney était en sommeil, théâtres, concerts et dancings avaient fermé leurs portes. Depuis six mois qu'il parcourait la région, Yann était loin d'en avoir épuisé tous les charmes et il avait tout de suite aimé ce pays au climat et aux paysages contrastés.

Le temps avait passé si vite depuis qu'à l'invitation d'Hubert, Yann avait décidé d'écrire à Ralph Beeston. Le conseil était bon et comme le lui avait assuré son ami tout avait été réglé rapidement, si bien que quinze jours plus tard Yann s'embarquait pour l'Angleterre. Il ne connaissait de la langue que quelques mots usuels, mais l'envoyé de Monsieur

Beeston chargé de l'accueillir à Portsmouth parlait assez bien le français. Yann fut impressionné par la formidable puissance de la marine anglaise basée dans ce port, et presque autant par la gigantesque propriété de son nouveau patron à Winchester. Celui-ci tint à faire visiter lui-même les bâtiments, et les parcs où paissaient d'immenses troupeaux de moutons. Il présenta le jeune homme à tous ses collaborateurs, à sa famille et à ses amis, avec l'extrême simplicité qui lui était naturelle. Le soir même, Yann était confronté à ses premières difficultés outre-Manche avec l'apparition sur la table du dîner d'un superbe gigot arrosé d'une sauce à la menthe.

Il devait en rencontrer bien d'autres durant les trois mois qu'il passa dans ce pays, la cuisine anglaise restant néanmoins la plus redoutable. Bien plus que la langue, dont il apprit si vite les rudiments qu'au bout d'un mois il arrivait tant bien que mal à suivre une conversation. De semaine en semaine il progressait. Bien sûr, son accent devait être assez éloigné de celui d'Oxford mais il se faisait comprendre, et pour peu que son interlocuteur ne parlât pas trop vite, Yann enregistrait l'essentiel. Et il ne manquait pas d'encouragements du côté des jeunes anglaises, prêtes à donner des leçons particulières à ce beau « Frenchie » aux yeux bleus. Yann avait abandonné sans regret la coupe de cheveux en usage dans la marine et ses boucles brunes ajoutaient encore à un charme qui ne manquait pas de troubler maintes ladies.

En véritable self-made-man, Ralph Beeston était persuadé que le métier devait s'apprendre sur le terrain plutôt que dans les livres. En vertu de ce principe, Yann dut passer par tous les stades de la formation y compris les plus humbles, sans jamais d'ailleurs en être rebuté. Il lui fallut aussi – ce fut plus difficile – se familiariser avec les transactions commerciales de l'achat et de la vente et les subtilités de l'import-export. Peu à peu, il acquit une certaine assurance en ce domaine si bien que son patron décida de le lâcher dans la nature et de l'envoyer en Australie. Là-bas, lui dit-il, on avait besoin d'hommes de sa trempe, il faudrait travailler durement mais il y avait une chance à saisir. Yann comprenait ce langage et partit plein d'enthousiasme vers son destin. Sacré bonhomme quand même ce Ralph Beeston, se disait-il alors que le bateau larguait les amarres. En trois mois Yann ne l'avait jamais vu qu'à jeun, sans doute réservait-il ses saouleries aux bordées d'Outre-Manche.

Au terme d'un très long voyage heureusement coupé d'escales il avait débarqué à Melbourne. Yann avait été fasciné par la formidable activité du port bien abrité, où il avait été accueilli par le représentant de la Compagnie de Winchester. Une des plus importantes pour l'exportation de la laine et de la viande. De Melbourne à Sidney, et de Sidney à

Brisbane, aidé et conseillé mais ne rechignant jamais à l'ouvrage, Yann fit preuve de remarquables qualités d'adaptation. Ralph Beeston, le « big-boss » lui-même, n'avait-il pas demandé qu'on lui laissât la bride sur le cou ? Dans ce pays neuf où il fallait savoir s'affirmer, Yann trouvait enfin une tâche à sa mesure. Il venait de passer près d'un mois à Townsville sur la côte Est, où il avait traité pour le compte de sa Compagnie un fructueux marché portant sur des milliers de têtes de bétail du Queensland. Sa commission serait à la hauteur de la transaction et son compte à la National Bank de Sidney allait augmenter d'autant. Dans ce pays les salaires étaient extrêmement confortables et le président de la R.B.Company, s'il demandait beaucoup savait se montrer généreux.

Fidèle à son tempérament, Yann faisait à l'effort succéder le réconfort. A l'issue de sa mission réussie, ses partenaires et commanditaires avaient organisé pour lui une visite des îles de Palm-Island à une quinzaine de milles de Townsville vers la barrière de corail. Les pins et les palétuviers au bord de la plage de sable fin en font un paradis et Yann apprécia de nager dans ces eaux claires. Sans toutefois trop s'éloigner du rivage, les requins ayant la mauvaise habitude de venir parfois y musarder. On lui conseilla également d'éviter de s'aventurer vers l'intérieur des terres, où les aborigènes maniaient avec une adresse reconnue les flèches empoisonnées autant que le boomerang.

Hormis l'étreinte rapide consommée avec une fille du port de Melbourne, et un bref contact avec une putain de Brisbane, Yann ne s'était jamais intéressé aux femmes – d'ailleurs pas très nombreuses – de ce pays essentiellement peuplé d'hommes. La vérité obligeant à reconnaître qu'il s'agissait surtout d'une question de temps, le travail dévorant ses jours et parfois ses nuits. Il lui arrivait bien dans ses nuits solitaires d'évoquer le tendre fruit de la bouche d'Isabelle et la douceur de son corps, mais le sommeil l'emportait dans l'oubli. Jusqu'à la lumière du matin qui le jetait en bas de sa couche, l'esprit déjà occupé par la perspective d'une exaltante journée.

Ce dimanche après-midi pourtant, ses pensées s'envolaient vers un autre continent lointain. Etait-ce la douceur printanière ? Alors qu'à Saint-Malo l'automne était arrivé et que sur les côteaux de Touraine on devait cueillir les grappes dorées. Yann savait que là-bas on pensait à lui mais jamais une lettre n'était venue entretenir l'espoir. Le seul courrier venait d'Angleterre et parlait de moutons et de livres sterling, ramenant sur terre le rêveur nostalgique. Traversé parfois par le mal du pays, il eut aimé parler français mais l'occasion lui en était rarement fournie. Il se souvenait avec émotion de sa visite à la pointe qui sépare Botany-Bay de la baie de Port-Jackson, là ou une colonne de pierre rappelle la mémoire du navigateur français La Pérouse. Celui-là pourtant n'était pas de Saint-Malo.

C'est aux alentours de Noël que Yann, peut-être plus sensible à la musique depuis qu'il avait entendu sous les doigts d'Isabelle s'égrener le Rêve d'Amour, découvrit l'opéra. Convié à partager la loge de ses amis John et Maureen Harding au théâtre de Sidney, Yann avait accepté sans enthousiasme tant il lui semblait extravagant d'exprimer des sentiments, gais ou tristes, en chantant. Mais l'invitation émanant d'un partenaire en affaires, ne pouvait être prise à la légère. On jouait la « Traviata » de Verdi avec une cantatrice native de Melbourne, et disait-on appelée à une grande carrière internationale, Nellie Melba. En d'autres temps, Yann eut pour le moins souri d'une jeune femme épanouie, resplendissante de santé, qui sur scène toussait à fendre l'âme pour finalement mourir de phtisie. Mais, emporté par la sublime musique et la beauté des voix, il fut véritablement subjugué. La magie du théatre le fascina et le sujet de la pièce emporta son adhésion. Il est vrai que la similitude d'amours contrariées par un père inflexible ne pouvait que le bouleverser. C'est pourquoi, dans la pénombre complice de la loge il laissa couler un pleur lorsque mourut Violetta, et il partagea sans réserve le chagrin d'Alfredo.

Ce fut encore un Noël en terre étrangère, un Christmas arrosé de whisky à quelque quarante milles de Melbourne. Le ranch des Harding, en bordure de la rivière Darling si joliment nommée dominait une plaine immense où poussait le blé et le maïs. Derrière, sur des dizaines et des dizaines d'hectares s'étendaient les jardins du paradis. Vergers somptueux de pommiers, d'orangers et d'abricotiers pour un Noël d'un autre monde où Yann torse nu sous le soleil de l'été austral chanta pour ses amis le « Minuit Chrétiens » de son enfance.

La ruée vers l'or qui à une certaine époque avait drainé vers l'Australie un flot d'émigrants européens, ne semblait avoir amené ici qu'assez peu de français. A moins qu'ils ne soient repartis fortune faite ou plus surement désillusionnés. Toujours est-il que Yann en avait seulement rencontré quelques uns, disséminés sur la grande île et convertis à l'élevage et à l'agriculture sur de modestes exploitations. Aussi, lorsque la Compagnie eut à traiter en Nouvelle-Calédonie une importante affaire concernant à la fois un marché de nickel et de conserves de viande, c'est avec joie qu'il sollicita et obtint sa désignation pour cette mission. Il avait il est vrai un argument à faire valoir, étant le seul à maîtriser parfaitement la langue française. Il venait de mener à bien l'expédition à Falmouth de dix mille balles de laine, qu'un grand clipper de 1500 tonneaux avait chargé à Sidney la semaine passée, il avait donc le vent en poupe.

Chauvinisme oblige, la splendide baie de Nouméa lui parut encore plus belle que celle de Sidney. L'île aux Pins – baptisée par Cook – et la masse imposante du Mont d'Or sur la côte Ouest, vues du large, lui avaient déjà empli les yeux de leur beauté sauvage. L'ancien bagne et les restes du pénitencier de l'île Nou lui furent désignés par le capitaine, qui rappela à Yann la déportation en Calédonie d'hommes et de femmes partisans de la Commune en 1871. Alors âgé de sept ans, Yann courait à cette époque les grèves de Saint-Malo et ignorait cet épisode de l'histoire contemporaine.

Ayant sacrifié aux formalités administratives et ravi de n'entendre parler que sa langue, Yann quitta le port et monta dans une carriole stationnée à la sortie des voyageurs. Le canaque souriant qui tenait les rênes, lui expliqua dans son jargon que tous les nouveaux arrivants faisaient un tour de ville. Pas trop pressé, Yann sacrifia à la tradition et s'émerveilla de l'incomparable panorama que son cocher lui fit découvrir, du sommet d'une petite colline où se dressait un vieux fort sur l'immensité du Pacifique, et la baie de Saint-Louis avec sa flottille d'îlots. Récompensé d'une petite pièce, le cicérone le conduisit à travers les rues bordées de maisons en bois flanquées de jardinets, jusqu'à l'adresse indiquée proche du palais du Gouverneur.

La maîtresse de maison, Madame Raynaud, accueillit avec une joie non dissimulée le visiteur venu d'Australie. Elle avait une quarantaine d'année et beaucoup de charme. Elle fut tout de suite sympathique à Yann, en lui présentant sans manière ses quatre enfants aussi blonds qu'elle était brune. Son mari était à Doniambo, dit-elle, et serait là dans l'après-midi. Elle observa qu'il serait aussi content qu'elle de traiter avec un négociateur australien natif de Saint-Malo...

Yann et son hôtesse buvaient le café sur la terrasse ombragée et débattaient des charmes respectifs de leur région natale, lorsqu'arriva le maître de maison. Blond aux yeux bleus, jovial et volubile, il fut aussi heureux que son épouse en apprenant que ce compatriote représentait la fameuse R.B.Company. Yann n'était-il pas trop fatigué de son voyage ? A la réponse négative du jeune homme, il exulta et offrit de dîner le soir même dans un restaurant huppé de Magenta à quelques kilomètres de Nouméa. Les affaires estimait-il ne se traitaient jamais mieux qu'autour d'une bonne table. Il prêchait un converti.

La nuit était tombée lorsque le cocher de la voiture de louage arrêta ses chevaux devant le restaurant illuminé. Yann s'était changé à son hôtel et avait fière allure dans son costume blanc, ses hôtes étaient également fort élégants en spencer et robe du soir. La table réservée scintillait de cristaux et le champagne était déjà au frais. L'ami Raynaud faisait bien les choses, semblait-il, et Yann en pleine forme se dit qu'il allait passer une excellente soirée.

Quatre couverts étaient disposés sur la table ronde. Yann n'eut pas le temps de s'en étonner, le regard attiré par une superbe fille en robe blanche qui faisait son entrée dans la salle. Divine surprise, elle se dirigeait vers eux.

– Monsieur Bellec, ou plutôt Yann si vous permettez, je voudrais vous présenter Hélène Duplé qui est à la fois une associée et une amie.

C'était inattendu, et Yann en eut le souffle coupé. Brune aux yeux de velours, un port de reine et un corps de déesse, c'est ainsi qu'il aurait pu définir la nouvelle arrivée. Avec aussi une bouche sensuelle. Il avait appris le baise-main en Australie et n'hésita pas une seconde à le mettre en pratique.

– Je suis très heureux de vous connaître, hasarda t-il en lui rendant sa main.

La formule manquait sans doute d'originalité mais les yeux du garçon avaient été bien plus éloquents et la belle Hélène ne s'y trompa nullement.

– C'est aussi un plaisir, sourit-elle.

Depuis longtemps Yann n'avait été à pareille fête, les mets étaient exquis sans doute et les vins fruités, mais c'est aux lèvres de cette excitante jeune femme qu'il eut aimé s'abreuver. Elle pouvait bien expliquer que le nickel extrait des mines de Thio était transformé à Doniambo, et qu'il partirait de Nouméa vers Sidney dès qu'interviendrait l'accord financier. Les pensées du garçon était bien éloignées de la National Bank of Australia, et l'accord auquel il rêvait présentement eut peut-être fait rougir celle qui l'inspirait.

Dans un autre registre, les Raynaud se montraient de délicieux convives, attentifs et spirituels. Ils avaient bien sûr remarqué la forte impression causée par leur amie et observé qu'elle même n'était pas indifférente au charme de l'invité. Veuve depuis deux ans, Hélène était libre et menait sa vie sentimentale comme elle l'entendait, ses relations amicales et professionnelles avec les Raynaud étant sans ambiguïté. C'est pourquoi ceux-ci observaient avec un sourire amusé le magnifique couple que formaient les deux jeunes gens. Il eut une petite lueur d'ironie dans l'oeil pourtant, lorsqu'il déclara faussement contrit :

– Mon cher Yann, j'aurais aimé vous montrer un peu le pays, mais je vais devoir m'absenter. Je vous laisse pourtant en bonnes mains puisque notre amie Hélène s'en chargera à ma place. Vous voulez bien, Hélène ?

– Bien sûr, Jean, répondit-elle spontanément avec une flamme joyeuse dans le regard, ce sera avec plaisir.

La soirée se poursuivit fort avant et baigna jusqu'à son terme dans une ambiance chaleureuse. Lorsque Hélène prit congé de ses amis, Yann était conquis. Il fut convenu qu'elle passerait le prendre à la réception de son hôtel le lendemain vers onze heures. Yann s'endormit en pensant à elle.

Bien avant l'heure il l'attendait dans le grand hall, faussement intéressé par le journal local qu'il feuilletait négligemment. Lorsqu'elle parut vêtue d'une robe aux vives couleurs, Yann se leva d'un bond et vint à sa rencontre. Elle était aussi belle au soleil matinal qu'aux lumières du restaurant, se dit-il, et sa capeline légère lui donnait un petit air canaille qui émoustilla sérieusement le représentant de la R.B.Company.

Au pas nerveux du petit cheval la calèche roulait parmi les jardins et les rues de la ville, et la jeune femme en commentait les détails pittoresques. Cette promenade, Yann l'avait déjà faite lors de son arrivée à Nouméa, mais il n'en buvait pas moins les paroles d'Hélène, plus attentif au guide qu'au paysage. Tout à l'heure, un cahot de la route avait rapproché l'un et l'autre les passagers de la calèche et ils étaient restés ainsi. A travers le tissu léger de leurs vêtements, il sentait la chaleur de la cuisse d'Hélène contre la sienne, et du décolleté de sa voisine montait un parfum qui acheva de le griser. Elle avait choisi de déjeuner à Tangui, à quelques kilomètres vers le Nord-

Ouest et ils roulaient maintenant dans la campagne luxuriante. C'est lorsqu'elle se pencha vers lui pour désigner les niaoulis, ces grands arbres si nombreux sur l'île, qu'il l'embrassa. A l'ombre de la capeline, il prolongea longtemps ce baiser qu'elle lui rendit avec une fougue prometteuse.

Les hors-d'oeuvre à la crème de vanille, les délicieux poissons frais et les fruits savoureux sur la nappe blanche semée de fleurs éclatantes, auraient déjà composé le plus aphrodisiaque des menus. Ajouté à tout ce qui n'était pas sur la carte – baisers passionnés, caresses hardies et troublantes esquissées fugitivement – le déjeuner fit monter la température; Il fallut à Yann beaucoup de self-control, comme on disait en Australie, pour ne pas balayer d'un revers de main assiettes et couverts et prendre sur la table une Hélène elle aussi éperdue de désir.

La bouche d'Hélène était un fruit sauvage à la saveur exquise, et Yann était au bord de l'apoplexie lorsque la calèche les déposa devant la maison de la jeune femme tout au bout d'un jardin verdoyant. Tandis que fébrilement elle ouvrait la porte Yann lui mordillait la nuque, ils n'allèrent pas plus loin que l'entrée où un canapé de rotin garni de coussins accueillit leurs corps enfiévrés. Il la prit presque sauvagement, mais animée de la même ardeur elle répondit d'un pareil élan à cette tendre violence. Ce n'est qu'après avoir apaisé cette flambée de désir qu'ils gagnèrent la chambre. Yann acheva de déshabiller sa fougueuse maîtresse comme il aimait le faire, découvrant lentement ce corps superbe, palpitant du plaisir reçu.

La nuit était depuis longtemps venue, qu'ils s'émerveillaient encore d'avoir bu à toutes les sources du désir. Nus sur le grand lit bas, ils improvisèrent une dînette d'amoureux où de tendres becquées suppléaient aux couverts. Lorsque le lendemain matin le soleil vint éclairer une chambre transformée en champ de bataille, les amants passionnés venaient seulement de s'endormir. A aucun moment ils n'avaient évoqué le cours du nickel, mais ils connaissaient au centimètre près toutes les ressources de leur corps.

Du nickel il en fut pourtant question les jours suivants, comme on parla de moutons et de conserves de viande, mais dans le meilleur climat possible. Yann dût s'avouer après coup qu'il avait peut-être été un peu moins âpre qu'à l'accoutumée dans les tractations financières. Pour autant, les contrats signés étaient bien en deçà de la marge qui lui avait été fixée par sa direction, et la R.B Company avait tout lieu de se féliciter d'avoir choisi l'honorable Mister Bellec pour traiter en Nouvelle-Calédonie. La commission de Yann s'annonçait substantielle pour son compte en banque, son compte courant sentimental étant quant à lui pléthorique.

Les dix jours passés sur la grande île resteraient à jamais gravés dans sa mémoire. C'est ce qu'affirma Yann à l'heure de la séparation, en serrant Hélène dans ses bras. Retenant ses larmes pour qu'il n'emporte d'elle qu'un souvenir heureux, elle lui demanda s'il pensait revenir un jour.

– Je ne sais pas, Hélène, répondit-il avec franchise, mais tu auras toujours une place dans mon coeur.

– Alors ne pars pas, reste avec moi dans ce pays où nous avons tout pour être heureux, supplia t-elle.

– C'est impossible, il y a très loin en France une jeune fille qui m'attend et qui m'aime.

– Et toi ? Est-ce que... tu l'aimes ?

– Au risque de te faire mal, oui... je l'aime.

– Alors, elle a beaucoup de chance, soupira Hélène avec un pauvre sourire. Pour tout le bonheur que tu m'as donné, je te souhaite de tout coeur d'être un jour heureux avec elle.

Avec ses amis Raynaud, elle eut le courage d'accompagner celui qu'elle aimait jusqu'au navire, et son mouchoir de dentelle s'agita longuement pour saluer son bel amant. Elle non plus n'oublierait pas sa trop brève aventure.

Le cœur serré, Yann regardait s'éloigner la côte de ce merveilleux pays. Il n'avait pas menti en affirmant qu'il n'oublierait jamais ce voluptueux séjour. Au-delà des flambées de désir qui avaient embrasé ses sens, il avait éprouvé quelque chose de plus profond. Peut-être l'amour était-il là, sur ce caillou somptueux, près de cette fille aimante au corps superbe ? Un brin mélancolique, Yann s'en fut au bar des premières classes. Le whisky dans son verre lui parut avoir la couleur des yeux d'Hélène. Il l'avala d'un trait.

La pluie tombait sans discontinuer sur Saint-Malo. C'était un sale petit crachin de novembre, et les remparts de la vieille ville s'estompaient dans la grisaille ambiante. Après avoir franchi l'écluse, le vapeur en provenance d'Angleterre vint s'amarrer au quai Saint-Louis. En cette saison les voyageurs n'étaient pas très nombreux, et l'un des premiers à descendre fut un gentleman de haute taille vêtu avec élégance d'un pardessus-raglan à pèlerine, le chapeau crânement incliné sur le côté. Il ne laissa pas aux douaniers le temps de prononcer l'habituelle formule anglaise apprise par coeur.

– Je suis de Saint-Malo, vous me connaissez bien je suis Yann Bellec...

Les douaniers interloqués restaient bouche-bée, ils se décidèrent à serrer la main tendue lorsque Yann les appela par leur nom. Pourtant, ils n'osèrent pas le tutoyer, ce n'était plus le gamin qui traînait jadis sur le port. Le plus âgé hasarda seulement d'une voix timide :

– Alors, comme ça on rentre au pays ?

– Eh oui ! Et ça fait plaisir !

Yann avait eu le temps de s'habituer au crachin

anglais, celui de Saint-Malo lui sembla plus vivifiant, plus tonique. Evidemment, le chaud soleil d'Australie était bien loin, c'était le printemps là-bas pensa t-il. Il avait passé près de vingt mois sur ce continent et prouvé son courage et sa valeur à ceux qui l'employaient. C'est Ralph Beeston lui-même qui avait demandé au jeune homme de rallier l'Angleterre pour un congé bien mérité. Il lui parut normal de l'envoyer se reposer en France jusqu'à la fin de l'année, et il eut l'élégance de lui octroyer une gratification supplémentaire. Si le temps incitait plutôt à la morosité, ce n'était sûrement pas l'état d'esprit de Yann Bellec, un des meilleurs agents de la R.B.Company.

Gentleman ou pas, on est toujours un enfant pour sa mère et Catherine versa des larmes de joie en retrouvant son petit. Le poids des ans avait un peu vouté son dos et ses cheveux étaient maintenant de neige, mais tant d'amour faisait briller ses yeux que Yann dans un grand élan de tendresse la serra longtemps dans ses bras. Emu, il constatait qu'elle gardait à la place d'honneur une photographie de son garçon en marin, prise à son retour d'Extrême-Orient. Au dessus dans un cadre, les décorations aux rubans un peu passés et à côté l'image jaunie de son père avec un albatros aux ailes déployées. Pauvre maman, pensa Yann, qui conservait tout près d'elle ceux-là qui avaient été toute sa vie.

Le repas n'était pas plantureux mais Yann s'en accommoda parfaitement puisqu'il le partageait avec sa mère. Entre deux bouchées il racontait l'Australie, les voyages et les affaires sur un continent fabuleux. Heureux et insouciant il expliquait, volubile, que là-bas il fallait travailler durement mais avec d'importants salaires lorsque tout allait bien. Tout à son bonheur, il ne s'apercevait pas que Catherine n'avait pas sa gaieté habituelle, et qu'un pli soucieux barrait son front.

A la joie profonde née de l'arrivée de son fils succédait maintenant chez Catherine une sourde inquiétude, presque une angoisse, liée à la présence d'une certainc enveloppe mauve arrivée depuis près de trois mois au nom de Yann. Elle sentait, elle savait que cette lettre était porteuse de malheur, elle l'aurait juré. Cent fois elle avait résisté à l'envie de l'ouvrir. Pour savoir. Une mère ne se trompe pas, par toutes les fibres de son coeur elle voyait le malheur enclos dans ce rectangle de papier. Que ne l'avait-elle brûlée cette lettre maudite qui allait... Elle essaya de prendre une voix naturelle, mais ne put réprimer le tremblement de ses mains lorsqu'elle prit l'enveloppe dans le tiroir de la table.

– Tiens, c'est vrai Yann, tu as une lettre...

– Une lettre ! Donne vite, maman ! Il avait reconnu l'enveloppe attendue depuis près de deux ans. Fébrile, il manqua la déchirer en l'ouvrant.

– C'est Isabelle ! Et tu ne disais rien !

Pâle comme une morte, Catherine s'était serrée contre l'encoignure de la fenêtre et regardait dehors. Sans voir. Etait-ce le crachin qui bouchait l'horizon ? Un vrai temps de Toussaint, de jour des morts.

Incrédule, le sang battant à ses tempes, Yann lisait :

« ... C'est le coeur déchiré que je vous écris aujourd'hui, car cette lettre est aussi un adieu. Le mois prochain... » Yann courut à la date, la lettre avait été écrite le 14 août « ... je serai l'épouse de François d'Arnonvelles. Je sais, et ne puis vous en vouloir, que vous me jugerez sévèrement. Il est vrai qu'aujourd'hui je suis parjure à mon serment. J'avais juré de vous attendre et de n'aimer que vous. C'est la première fois de ma vie que je faillis à la parole donnée, mais de terribles circonstances familiales m'y contraignent. Je ne puis entrer dans les détails, je peux seulement dire que de tragiques revers de fortune ont frappé notre famille. Mon père a effectué des placements malheureux qui aujourd'hui consomment notre ruine. Ce serait pour moi sans importance, mais la gravité des faits entacherait d'indignité le blason et l'honneur même des Valclouet. Je sais que mon père n'y survivrait pas et moi seule suis en mesure d'éviter le drame, mon frère est je crois en Chine, et ne sait rien de la situation actuelle. J'ai sa parole de gentilhomme, Monsieur d'Arnonvelles règlera discrètement toutes les difficultés... et je lui ai donné la mienne. C'est un terrible sacrifice mais j'y suis résignée. S'il savait, mon père rejetterait cette solution, alors au parjure j'ai ajouté le mensonge en lui affirmant que j'aimais François d'Arnonvelles et que je souhaitais l'épouser dès que possible... Tout cela, Yann, je le fais pour que l'opprobre ne s'abatte pas sur notre famille. Je n'ai pas la vocation du martyre mais je crois, je suis sure qu'il s'agit d'un devoir sacré... J'étais sincère en disant que jamais je n'en aimerai un autre. Mon amour pour vous n'a fait que grandir depuis notre séparation, et je ne vous oublierai jamais. Pourtant, au nom de cet amour fou que je vous porte, je vous demande de ne jamais tenter de me revoir... J'épouse un homme pour lequel je n'éprouve aucun sentiment, mais je lui serai fidèle par respect pour le nom qu'il va me donner, et que je porterai le plus dignement possible... Ne me jugez pas trop mal, soyez heureux si vous le pouvez, je vous demande pardon... «

Pétrifiée, Catherine ne bougeait pas, mais le silence se prolongeant elle finit par se retourner. Yann ne lisait plus, sa main tenait encore cette lettre qui le crucifiait et deux grosses larmes coulaient sur son visage bronzé. Elle courut vers lui.

– Mon petit, mon petit...

Elle lui ouvrit les bras et Yann se blottit contre elle, pleurant maintenant à gros sanglots tandis qu'elle lui caressait les cheveux, nouant ses doigts dans les boucles brunes comme jadis lorsqu'un gros chagrin faisait pleurer son petit garçon.

Elle le garda longtemps serré sur sa poitrine, jusqu'à ce que s'apaise un peu la tourmente, cette douleur de bête blessée qui le secouait de sanglots. Lorsqu'il se leva, sa pâleur effraya sa mère. Il endossa son pardessus et sortit sans un mot.

Le crachin bouchait l'horizon et du haut des remparts on ne distinguait qu'à peine la masse du Grand Bé pourtant tout proche. Insensible à la pluie qui lui giflait le visage, sourd aux cris rauques des goélands, Yann marchait désespéré. Tout se bousculait dans sa tête. A quoi bon ce lointain exil et cet argent gagné ? Tout cela n'était que pour elle, et elle l'avait trahi. Ses espoirs venaient de se briser, Isabelle était maintenant la femme d'un autre, cet aristocrate suffisant qu'il avait détesté tout de suite. Une colère froide montait en lui. Elle pouvait bien parler d'honneur. Qui s'en souciait de l'honneur des Valclouet ? Elle disait l'aimer et elle se vendait comme une putain, que ne l'avait-il forcée comme une fille des rues lorsqu'il la tenait à sa merci ?

Dans les rafales, Yann criait sa rage. La vieille femme qu'il croisa fut effrayée par ce visage mouillé de larmes et de pluie, convulsé de fureur. Elle se signa et s'éloigna aussi vite que possible. Du haut de la Tour Bidouane, le factionnaire de la poudrière le regarda passer gesticulant, et à l'intention d'un second militaire abrité sous le porche, vrilla son index contre sa tempe droite. Ce type était à coup sûr cinglé.

Trempé, dégoulinant de pluie, les cheveux plaqués sur le visage et les yeux encore hallucinés, Yann regagna la maison. Un bon feu brûlait dans la cheminée. Sans poser aucune question sur ses trois heures d'absence, sa mère l'aida à se dépouiller du pardessus gorgé d'eau. Devant l'âtre elle sécha ses cheveux en le frictionnant avec une serviette préalablement chauffée, et lui servit un plein verre de rhum. Yann but à grandes lampées et l'alcool lui fit du bien.

Réchauffé, réconforté, il retrouva lentement ses esprits. Assis devant la cheminée, il regardait les flammes monter dans le crépitement du bois sec, sans parler, et Catherine respectait son silence. La nuit était venue maintenant et l'ombre avait envahi la pièce. Posé sur deux tabourets, le pardessus fumant séchait doucement. Yann se tourna vers sa mère assise à ses côtés, le châle noir sur les épaules.

– Maman, je partirai demain.

– Comme tu voudras, mon petit, mais... tu ne veux pas te reposer quelques jours ?

– Non, maman, il faut que je m'en aille, mais je t'écrirai et je te promets de revenir.

– Quand reviendras-tu, mon Yann ?

– Je ne sais pas, maman, mais à mon retour je t'achèterai une belle maison, pour que tu sois heureuse.

– Mais je suis bien ici tu sais, j'y suis venue avec ton père et tu es né dans ce lit où je dors toujours.

Attendri, Yann se leva et se pencha sur elle pour l'embrasser.

– C'est vrai, maman, il y a eu vingt-six ans au mois de Juin dernier, et moi aussi j'ai été heureux dans cette maison, mais un jour je viendrai te chercher.

– Avec toi mon petit je serai bien partout, sourit-elle en ajoutant soudain grave, garde-toi bien mon Yann, je ne te survivrais pas si quelque chose t'arrivait.

– Ne crains rien, maman, tu m'as donné une santé de fer et je suis aussi solide que nos remparts !

La soirée se passa à évoquer les souvenirs déjà lointains de l'enfance, des courses folles sur la grève et des escapades incertaines sur des rafiots pourris. Tourmenté, agité de cauchemars, Yann passa une très mauvaise nuit. Catherine s'efforça de ne pas pleurer lorsqu'il la serra dans ses bras sur le pas de la porte. Plus ému qu'il ne voulait le laisser paraître, il prit la direction du quai Saint-Louis et monta à bord du navire de la Southwestern. Les deux douaniers de la veille le regardèrent, ahuris. Venir d'Angleterre pour une journée, il fallait que ce garçon-là soit bien riche, se dirent-ils sans doute. En regardant s'éloigner les murs de Saint-Malo éclairés d'un pâle soleil, Yann sentit son coeur se serrer. Il se consola en imaginant la surprise de sa mère, lorsqu'elle allait trouver l'enveloppe garnie de billets de banque glissée sous son oreiller.

*

* *

La traversée jusqu'à Portsmouth avait été propice à la réflexion et Yann n'avait cessé de penser au drame qui brisait à jamais son beau rêve. Désemparé, il s'était présenté à Ralph Beeston – quelque peu surpris malgré son flegme – et à mots couverts lui avait exposé la situation. Ami d'Hubert qui l'avait invité dans la propriété familiale, l'anglais avait compati aux difficultés des Valclouet et à la peine de Yann qu'il tenta de consoler.

– Vous oublierez, mon cher Yann, comme nous disons ici, there are plenty of fish in the sea !

Yann ne put s'empêcher de sourire de cette version anglaise de notre « une de perdue, dix de retrouvées... »

Les deux hommes firent un tour d'horizon complet sur les affaires de la Compagnie, envisageant différentes possibilités pour tirer le meilleur parti des connaissances et des capacités du garçon. Ralph Beeston avait apprécié le travail réalisé en Australie, Yann lui était sympathique et, avec un peu plus d'expérience, serait appelé à d'importantes fonctions. Dans l'immédiat, estima le patron, il lui fallait voyager et se changer les idées. Yann était bien de cet avis.

Après avoir pendant quelques jours consulté les responsables des différents départements de la R.B.Company, l'anglais fit appeler Yann. Havanes et whiskies, fauteuils de cuir et tapis de haute laine, le bureau de Ralph Beeston témoignait de la bonne santé financière de la Compagnie et du goût très sûr de celui qui la dirigeait.

Egal à lui-même, souriant et jovial, le patron accueillit le jeune français avec chaleur, s'enquérant de sa forme physique et surtout morale avec une attention touchante. Rassuré sur ce point, il posa une question inattendue.

– Vous n'ignorez pas que c'est notre boisson nationale, mais aimez-vous le thé ?

– Beaucoup, assura Yann, je l'ai découvert en Extrême-Orient il y a quelques années.

– Voilà qui tombe bien, je vous envoie à Ceylan. Notre représentant là-bas souhaite rentrer au pays, il parait que sa femme ne supporte plus le climat. Vous le remplacerez, vous verrez que c'est un pays attachant où un garçon comme vous doit se plaire et réussir. Qu'en pensez-vous ?

– C'est extraordinaire ? Je vous remercie de votre confiance.

– Well ! Vous allez d'abord régler les questions matérielles, passeport, visas, vaccins et autres contingences. Ensuite, nos bureaux de Londres vous renseigneront : contacts, agences, hôtels, change... Trois jours devraient suffire. Votre bateau quitte le port dans cinq jours. Bonne chance, Yann, et bonne chasse ! Pour le thé bien sûr, ajouta Ralph Beeston dans un éclat de rire.

Un peu étourdi mais tout de même radieux, Yann prit congé de son patron. Voilà un homme qui menait rondement ses affaires, cela aussi expliquait sa réussite se disait-il. Ceylan ? Pourquoi pas ? C'était l'Asie et il en gardait tant de souvenirs. Là-bas il allait tenter d'oublier.

Assis au troisième rang d'orchestre du théâtre de Covent Garden, Yann applaudit frénétiquement lorsqu'à l'issue de « Rigoletto » les chanteurs vinrent saluer sur l'avant-scène. Dans les velours et les ors de l'immense salle, il avait encore succombé à la magie de l'opéra et s'était enthousiasmé aux voix somptueuses venues d'Italie, comme à la musique éclatante. Ce Giuseppe Verdi connaissait bien les femmes, semblait-il, les disant aussi volages que la plume au vent. Lorsque le ténor avait superbement détaillé « la donna e mobile », Yann qui en avait lu la traduction dans le livret du programme s'était levé d'enthousiasme. Mêlant une fois encore l'intrigue romanesque et la réalité, il n'avait pas hésité à transposer le débauché duc de Mantoue en baron d'Arnonvelles.

Le lendemain matin le paquebot « Océanic » quittait le port de Londres, emmenant à son bord Yann Bellec à destination de Colombo. La réputation de la R.B.Company semblait bien établie puisque le soir même son représentant était invité à la table du capitaine Ericksen, en compagnie de cinq autres importants personnages. Dans la grande salle à manger, les hommes en habit et les femmes en robe décolletée avaient grande allure. Désormais à son aise en toutes circonstances et maniant un anglais très correct, Yann écouta pourtant plus qu'il ne parla. Il est vrai que sa voisine, une rousse au teint de lait, jacassait comme une pie. Les regards du capitaine et du jeune français se croisèrent, ils se sourirent en partageant sans doute la même idée. A celle-là il eut fallu dire : sois belle et tais-toi !

Il est vrai qu'elle était belle cette jeune anglaise bavarde, épouse d'un financier de la City, et Yann s'en rendit mieux compte lorsqu'il la fit danser. Il n'avait que peu pratiqué, seulement en quelques occasions en Australie, et n'était pas très doué. En la serrant contre lui, il se disait qu'il devrait peut-être s'y adonner davantage. C'était Noël et les anglais fêtaient joyeusement ce Christmas en pleine mer, dans un océan de champagne. La prestance et les yeux bleus du jeune français lui valaient des regards prometteurs de l'élément féminin du bord. Pourtant à aucun moment il ne chercha à exploiter ces atouts naturels, et bien que se montrant un agréable convive, Yann ne put réfréner une certaine nostalgie. Il faudrait du temps pour guérir cette blessure qui se ravivait au fil des souvenirs.

La Méditerrannée, le canal de Suez, la Mer Rouge. Une courte escale sur le rocher brûlant d'Aden en compagnie de quelques passagers, pour découvrir les célèbres réservoirs construits par les Romains, et dix jours plus tard le paquebot entrait dans la rade de Colombo. A travers les rues grouillantes d'animation un rickshaw conduisit Yann vers un quartier – beaucoup moins animé – où s'élevaient des bâtiments et des villas sans doute occupés par les seuls Européens. Les bureaux de la R.B.Company n'étaient pas très importants, mais il y en avait d'autres à Kandy et de vastes entrepôts sur le port. Le jeune employé anglais qui accueillit Yann lui expliqua tout cela en détail. Avec son visage enfantin semé de tâches de rousseur, son sourire franc et son allure dégingandée, il fut tout de suite sympathique à Yann. Fils d'un capitaine de lanciers, il se nommait

John Dunlop et était employé depuis deux ans à la Compagnie. Dans le bureau aux stores baissés avec le froissement léger des pales du ventilateur fixé au plafond, il faisait une agréable fraîcheur. Dans le fauteuil de cuir qui serait désormais le sien, Yann dégustait le whisky and soda préparé par John, et se sentait en pleine forme. Sa chambre était, parait-il réservée au Galle Face Hôtel devant l'Océan Indien, en attendant que soit libérée la villa du représentant de la Compagnie. Celui-ci, sur le départ, serait là le lendemain dans la matinée. Allons, tout cela se présentait bien.

– By jove, un français ! God save the Company !

La main largement tendue et le sourire éclatant démentaient heureusement l'exclamation incongrue. A l'évidence, William Harrow ne manquait pas d'humour et Yann rit aussi de bon coeur. La joie de revoir l'Angleterre quittée depuis trois ans y était peut-être pour quelque chose, mais Yann eut parié que celui-là devait être un joyeux compagnon. Pendant près d'une semaine il promena Yann de bureaux en dépôts, lui présentant les officiels et les dirigeants d'entreprises. Il se mit littéralement en quatre pour faciliter les débuts de son remplaçant à Colombo. Il avait une quarantaine d'années mais les portait gaillardement, Yann put le vérifier lorsque l'autre lui remit un petit carnet rouge, où étaient notées soigneusement les adresses de demoiselles hautement spécialisées. Entre gentlemen bien sûr, il était normal de se rendre service.

C'était la moindre des choses, Yann convia à dîner la veille de leur départ Mr et Mrs Harrow dans le plus chic restaurant de la ville. Curieusement l'anglais n'avait pas sa faconde habituelle. Par contre son épouse ne cessa de récriminer, vitupérant le pays et ses habitants, les insectes, la chaleur. Yann comprit mieux le petit carnet rouge, et lorsque la dame expliqua qu'avant de rejoindre Londre elle irait – seule – passer trois mois chez sa soeur en Cornouailles, il comprit tout à fait la joie débordante dont avait fait preuve William Harrow tout au long de la semaine.

La vie coloniale anglaise si décriée par la revêche Mrs Harrow s'accomodait pourtant d'un très agréable confort. La fraîcheur du tub pour le corps, le réfrigérateur pour les glaçons du whisky et les ventilateurs au plafond de chaque pièce permettaient grandement de lutter contre la chaleur. Les siestes dans le rocking-chair, le golf et le cricket apportaient la détente nécessaire. La villa entourée d'un balcon, située au milieu d'un jardin à la végétation luxuriante n'avait rien de commun avec les bicoques cinghalaises, et Yann se fit l'effet d'un Rajah. Sans le harem, bien sûr.

C'est avec passion qu'il avait pris ses nouvelles responsabilités et il y consacrait le plus clair de son temps. Sa qualité d'étranger au sein de la colonie anglaise ne lui facilitait pas la tâche mais peu à peu, par ses qualités et son fair-play autant que par la sympathie naturelle qu'il inspirait, il gagna l'estime de la plupart. Le jeune John Dunlop lui fut d'une aide précieuse, et ils devinrent rapidement une solide paire d'amis. Yann était régulièrement reçu dans la famille de ce garçon serviable et débrouillard, cela lui permit de nombreuses connaissances dans cette ville où les français étaient très rares.

La colonie comptait assez peu de célibataires. D'aucuns avaient alors émis des doutes sur l'orthodoxie des moeurs du représentant de la R.B.Company, mais leurs compagnes avaient fait table rase de ces rumeurs. Elles ne s'y trompaient pas, le regard que ce beau garçon posait sur elles au tennis où à la piscine en témoignait, celui-là aimait les femmes. Il est vrai que depuis plus de trois mois en poste à Colombo, personne ne lui avait connu de liaison. Cherchant l'oubli Yann s'anéantissait dans le travail, mais la nuit éveillait le souvenir cruel et la lampe ne s'éteignait que très tard dans la villa solitaire.

Il fallut plusieurs mois avant que Yann soit parfaitement acclimaté. Il lui en fallut presque autant pour maîtriser la voiture automobile qui – depuis le départ de Harrow – dormait dans son garage. Pour tous ses déplacements, il utilisait le rickshaw tiré par un Cinghalais véloce, mais la tournée prévue à Kandy et dans les plantations de la montagne ne pouvait s'en accommoder.

Cette voiture, une puissante Daimler brevetée en France quatre ans plus tôt et seule de ce type à Colombo, avait une histoire. Elle avait appartenu à un prince hindou qui plus tard l'échangea à un aventurier anglais contre la femme de celui-ci, une superbe blonde appelée à devenir la perle de son harem. Son troc insolite le prouvait, l'anglais ne s'embarrassait pas de scrupules. C'est ainsi qu'il avait acheté à la R.B.Company une importante cargaison de thé, en laissant la voiture pour cautionner sa créance. Les traites tirées sur une banque de Singapour furent renvoyées à la Compagnie qui hérita du véhicule. Elle n'était utilisée qu'assez rarement, dit John Dunlop, et pratiquement jamais en ville, depuis que William Harrow avait renversé une file de rickshaws devant la vieille cathédrale portugaise, semant la panique jusqu'au port.

Avec sa capote de toile et ses roues très hautes, la grosse voiture allemande secouait ses passagers sur les chemins cahoteux en soulevant d'épais nuages de poussière rouge de latérite. A son bord, Yann et son ami John se familiarisaient tant bien que mal avec les commandes de ce coursier moderne. Il fallait s'arrêter de temps en temps pour laisser refroidir le moteur, et les éléphants Cinghalais guidés par leur cornac regardaient d'un oeil étonné cette curieuse bête tout à l'heure rugissante et désormais silencieuse.

A travers les faubourgs grouillant d'une populace bariolée, Yann se frayait un chemin parmi les chars à boeufs qui encombraient la route étroite. Il lui fallait souvent actionner la grosse poire de l'avertisseur pour que daignent se ranger les indigènes. Capote baissée, les deux garçons coiffés du casque blanc en liège ne cessaient de plaisanter, ravis de cette évasion vers les hauts plateaux, en se frayant un passage à travers la foule composée de toutes les races de l'Inde. Indifférents aux regard fiévreux des hommes, ils lorgnaient avec insolence les femmes au buste serré dans la courte camisole, à la narine ornée de bijoux.

Après avoir longé les rizières, la voiture quitta la plaine et le chemin s'éleva progressivement pour déboucher sur une immense plantation d'hévéas. Le monstre d'acier commençait à peiner et Yann l'arrêta pour le laisser reprendre son souffle. Ils avaient roulé pendant des heures et John sortit le panier à provisions. Le corned-beef et les fruits, comme la pinte de bière encore fraîche, regaillardirent les garçons. Kandy, distante de 90 milles de Colombo, était encore loin et il convenait d'y arriver avant la nuit. Reposé, le moteur se mit à rugir dès le premier coup de manivelle.

Le Queen's Hôtel est édifié sur le bord du lac, et les Européens qui passent à Kandy s'y arrêtent.

La poussière récoltée sur la route avait transformé Yann et John en peaux-rouges, la douche rendit à l'un sa peau bronzée et à l'autre ses tâches de rousseur. Un traitement interne s'imposait pour la poussière avalée, à savoir le whisky. La route serait encore plus difficile à travers la jungle et la montagne, c'est ce que leur assura leur voisin de table, un anglais au teint recuit par le soleil qui hantait ces lieux depuis un dizaine d'années. Le bonhomme semblait préférer l'alcool venu d'Ecosse au thé de Ceylan et lorsque les deux garçons le quittèrent pour gagner leur chambre, il resta accroché au bar comme un naufragé à sa bouée, ivre-mort mais toujours digne comme seul peut l'être un anglais en pareille circonstance.

Le soleil levant allumait des paillettes d'or sur les eaux du lac de Kandy. Devant un temple consacré à Bouddha des bonzes en robe safran psalmodiaient leurs prières, et le passage pétaradant de la Daimler ne leur fit pas même tourner la tête. John expliqua que ce sanctuaire était un lieu de pélerinage et qu'il recélait une précieuse relique de la divinité. A la sortie de la ville s'étendaient les entrepôts de la Compagnie où était stocké le thé descendu de la montagne. Le responsable, Tamoul d'origine à la peau très foncée et aux cheveux lisses, semblait faire marcher à la baguette le personnel hindou et malais. Ses livres de compte étaient en règle et Yann ne put que le féliciter. Il prit place à bord de la voiture pour guider les jeunes gens vers les plantations sur les hauteurs, bien loin de Kandy la dernière capitale des rois Cinghalais.

Le chemin n'était pas très large à travers la jungle luxuriante. D'étranges fruits pendaient aux basses branches des arbres immenses et Yann s'en étonna. Le Tamoul expliqua que des centaines de chauve-souris dormaient ainsi en attendant la nuit. Sous la voûte épaisse des branches, des troncs et des lianes, le silence de la jungle était impressionnant mais toute une faune inquiétante y régnait pourtant. Des racines géantes entrelacées comme de monstrueux serpents donnaient le frisson, et les deux garçons n'étaient pas très à l'aise. D'autant moins que leur guide leur assura que les véritables reptiles y foisonnaient. Lorsque le bleu du ciel reparut, ils purent admirer la plaine et les flancs de la montagne couverts à perte de vue des plantations de thé. Des buissons verts sur des milliers d'hectares, la fabuleuse richesse de Ceylan. A quelque quarante milles de Kandy et à près de deux mille mètres d'altitude, la fabrique de la R.B.Company occupait un emplacement privilégié au pied d'une cascade dégringolant bruyamment des hauteurs.

Déférent, mais tout de même assez fier de montrer ses connaissances aux deux Européens, le Tamoul détailla pour eux la fabrication du thé et sa transformation par le lavage de l'eau des montagnes, le séchage et le triage. Le grand nombre d'ouvriers surprit quelque peu Yann, mais lorsqu'il apprit que chaque plant devait être taillé, dégagé à son pied et assidument surveillé jusqu'aux flancs escarpés de la montagne, il comprit mieux l'effectif pléthorique. Ils ne coûtaient d'ailleurs que quelques roupies, ces hommes pratiquement nus qui tout au long de l'année s'échinaient sur les boules vertes parfois piquées du rouge vif des flamboyants.

Redescendus dans la vallée, les trois hommes s'arrêtèrent dans une auberge construite en bois sur les vestiges d'un temple hindou, où subsistaient encore des bouddhas de pierre rongés par le temps sur lesquels se perchaient d'insolents singes gris. La frugalité du contremaître qui se contenta de riz et de bananes contrasta avec l'appétit féroce des deux garçons, qui se gobergèrent sans honte de gibier de la jungle. Sanglier, chevreuil et pigeons étaient au menu, malheureusement arrosé d'eau claire. Yann et son ami arrivèrent à Mount Lavinia peu de temps avant que ne tombe sur la plage, presque brutalement, le rideau de la nuit. Ils lavèrent la poussière rouge de leur corps dans les vagues tièdes de l'Océan Indien, impudiquement nus sous les étoiles.

*
*   *

D'une saison à l'autre, la mousson d'été était venue ouvrant les vannes célestes et des trombes s'abattaient sur Colombo. Les rues transformées en torrents charriaient la poussière rouge en flaques sanglantes et les corbeaux tournoyaient sur la ville. Depuis qu'il avait un jour trouvé un serpent chassé par la pluie lové dans sa chaussure au pied de son lit, Yann fermait soigneusement portes et fenêtres. Cela faisait maintenant deux ans qu'il avait pris pied sur la grande île. Yann avait répondu à tous les espoirs mis en lui par Ralph Beeston et développé considérablement l'activité de la Compagnie. Un temps snobé par la gentry de Colombo, il avait acquis droit de cité et les réceptions les plus smart s'honoraient de sa présence. A vingt-neuf ans, le fils du Terre-neuvas de Saint-Malo pouvait regarder avec fierté le chemin parcouru.

Le bilan de son parcours sentimental ne pouvait en revanche présenter la même courbe ascendante. Au delà des amours passagères qui avaient quelque temps retenu son attention, la blessure ne s'était jamais refermée et dans un coin de son coeur demeurait obsédant le souvenir de son amour perdu. Ce qu'il avait ressenti comme une trahison se traduisait depuis par un certain cynisme dans son comportement avec les femmes. Endurci à l'épreuve de la souffrance, il se voulait désormais uniquement mâle et ne s'embarrassait plus de considérations sentimentales. Et peu lui importait de posséder une paysanne Cinghalaise sur les bords de la rivière Kaleni, ou de culbuter une lady sur son bureau de teck parmi les dossiers d'expédition de la dernière livraison de thé noir.

A la sortie du cercle où il venait de passer la soirée, Yann bavarda quelques instants avec le Docteur Mortimer, célibataire comme lui et pilier du club où il venait pratiquement chaque soir après son service à l'hôpital. La quarantaine distinguée, Mortimer était à Ceylan depuis plusieurs années. On lui prêtait de nombreuses aventures sentimentales, et la rumeur attribuait son départ de Londres à une affaire d'avortement qui l'aurait contraint à l'exil.

Il ne pleuvait pas mais le ciel était lourd de nuages et le vent de mer courbait les cocotiers au bord de l'Océan. Le Docteur héla un rickshaw, le coureur referma soigneusement la capote pour abriter son passager et Yann regagna sa voiture. Demain c'était dimanche, la journée serait consacrée au repos. Le vent souflait de plus en plus, prélude à la lourde pluie et il eut l'idée de passer aux bureaux de la Compagnie. Histoire de vérifier si John avait bien fermé les portes et les bow-windows.

Le quartier était désert à cette heure avancée. Yann ne rencontra que des corbeaux qui cherchaient leur pitance dans les détritus charriés par les pluies de la veille. Il arrêta sa voiture, moteur tournant, à l'arrière du bâtiment pour emprunter la porte réservée au personnel. John avait peut-être bien fermé, mais en tout cas il avait oublié d'éteindre car un rai de lumière filtrait sous la porte. Lundi, il serait à l'amende. John en connaissait le tarif : une bouteille de whisky. Yann sourit, il allait mettre un petit mot sur le bureau du jeune homme pour lui annoncer la bonne surprise. Il coupa le moteur de la Daimler, c'est alors que la lumière s'éteignit.

A l'évidence, le petit John se payait du bon temps et profitait du week-end. Lui seul avait la clé, sachant qu'il serait tranquille il avait dû amener ici une de ses conquètes. Yann espéra qu'il n'utilisait pas le fauteuil directorial pour ses coupables activités, de toute façon le tarif allait sérieusement augmenter. Il s'avança silencieusement et mit la main sur la poignée de la porte qui apparemment n'était que poussée, entra et fit la lumière dans la pièce.

D'un seul coup d'oeil il découvrit la scène avec les tiroirs forcés et les papiers répandus sur le sol. Des voleurs. Ils étaient deux, vêtus d'oripeaux et coiffés de turbans, Hindous ou Cinghalais, pareillement terrorisés par l'intrusion soudaine de ce colosse. Ceux-là savaient de quel prix se payait pareil forfait. Le tribunal n'était pas tendre pour les « natives » et la potence était sans doute au bout de l'aventure. Yann se jeta sur le premier pour le maîtriser, crocha dans ses haillons et l'envoya dinguer contre une armoire. Assommé, l'homme glissa à terre. L'autre s'était rué vers la sortie mais déjà Yann bouchait la porte de sa carrure impressionnante.

Comme un rat pris au piège, l'homme se fit menaçant. Ramassé sur lui-même, prêt à bondir il attendit le choc. Il en fallait d'autres pour impressionner Yann. En deux enjambées il fut sur l'adversaire mais n'eut pas le temps de l'empoigner. Vif comme un cobra, le voleur avait sorti un kriss caché sous ses guenilles et planté la lame sinueuse entre les côtes de son assaillant. Yann sentit une douleur atroce dans la poitrine comme si un fer rouge lui taraudait le poumon, puis il devint faible comme un enfant et ses jambes se dérobèrent sous lui. Il tomba face contre terre parmi les documents épars, perdant son sang en abondance.

Lorsque au petit matin une patrouille de police, intriguée par la lumière allumée dans des bureaux habituellement déserts à cette heure, vint s'enquérir de ce qui se passait, elle trouva le corps d'un européen baignant dans son sang. Il fut immédiatement transporté à l'hôpital où le Docteur Mortimer réveillé d'urgence reconnut avec stupéfaction le directeur de la R.B.Company, qu'il avait quitté quelques heures plus tôt au club. Le poumon et la plèvre transpercés, exsangue, il était aux portes de la mort et le Docteur se dit qu'il lui faudrait trouver un autre partenaire pour le whist du samedi soir.

Des semaines durant la partie fut incertaine, entre la vie qui ne voulait pas quitter ce corps d'athlète et s'accrochait au fil ténu qui le retenait encore, et la mort qui le comptait déjà parmi les siens. Une partie suivie avec attention, puis avec passion par Mortimer et les autres médecins tout comme les infirmières de l'hôpital. Jusqu'au jour salué par tous où la mort recula, ce n'était pas encore pour cette fois. Le constat s'imposa de lui-même, le français avait la peau dure.

Miss Marjorie, la blonde infirmière aux yeux bleu lavande, sut la première que la guérison était en très bonne voie lorsque penchée sur Yann pour redresser l'oreiller, elle réalisa qu'il plongeait avidement son regard dans l'échancrure de sa blouse blanche. Elle en fut davantage flattée que choquée. Ces français, tout de même !

La convalescence fut longue et il fallut des mois avant que Yann ne retrouve l'essentiel de ses moyens. Encore gardait-il une certaine tendance à l'essoufflement après des efforts un peu trop violents. On lui recommandait de se ménager. C'est sans doute par prudence qu'il prit successivement pour maîtresses deux infirmières de l'hôpital, la blonde Marjorie Lawson et la brune Diana Harper. Leur thérapie ne devait pas grand chose aux principes d'Esculape, mais elle eut réveillé un mort et Yann s'en trouva fort bien. Seul le Docteur Mortimer qui avait vainement courtisé l'une et l'autre, ne sembla pas apprécier la conscience professionnelle de son personnel féminin.

*

* *

De ses années de combats sauvages au Tonkin et en Chine, Yann avait gardé un certain goût pour les armes. Peu d'hommes échappent à cette fascination, même s'ils s'en défendent. Il avait découvert la chasse en Australie et en avait aimé la beauté cruelle. Dans sa villa de Colombo le ratelier était garni de fusils et de rifles, et depuis son agression Yann avait acheté un revolver qu'il emportait parfois dans ses sorties nocturnes. Lorsque le Capitaine Dunlop, père de son ami John, évoqua une prochaine battue destinée à retrouver et à abattre un éléphant devenu fou, Yann sollicita d'en faire partie. Comme des milliers de ses congénères à Ceylan, l'animal travaillait paisiblement depuis des années. C'est alors qu'il tirait des troncs d'arbres en bordure de la forêt que le drame s'était produit. Devenu subitement furieux il avait brisé comme des cordelettes de chanvre les chaînes de son attelage. De sa trompe il avait saisi le cornac hurlant de peur et l'avait envoyé se fracasser contre un arbre. Avec un barrissement à glacer le sang il s'était mis à charger les indigènes fous de terreur et s'était enfoncé dans la jungle. Depuis, la peur régnait dans les villages des alentours.

Chargés d'armes et de vivres, les hommes de l'expédition s'étaient répartis dans deux voitures, Yann pilotant son increvable Daimler sur la route de Kandy. Le petit village proche de l'exploitation forestière où avait eu lieu le drame était en ébullition, et un climat oppressant semblait y régner. Généralement placides, les éléphants habitués à travailler chaque jour étaient nerveux et tiraient sur leur chaîne malgré la présence de leurs cornacs.

Malgré la somme rondelette promise, il avait presque fallu menacer le guide Cinghalais pour qu'il accepte de conduire les six hommes de la battue sur les traces de l'éléphant. Le Capitaine Dunlop, quatre de ses lanciers Hindous et Yann marchaient sur ses pas, l'oeil aux aguets. Les branches brisées et les arbustes piétinés rendaient assez facile le cap à suivre, jusqu'au moment où la piste s'arrêta en bordure d'une immense mare aux eaux boueuses. Tout autour du point d'eau la jungle était piétinée, comme si des dizaines d'éléphants avaient martelé le sol. Danse nuptiale ou folie collective ? Aux questions de Yann, le Capitaine ne sut que répondre.

Le Cinghalais refusa obstinément d'aller plus loin et rebroussa chemin, la peur ancestrale de l'animal sacré l'emportait sur l'appât du gain. Après avoir marché des heures sur des pistes incertaines les six hommes s'arrêtèrent pour bivouaquer à l'orée d'une clairière. Un grand feu fut allumé et les lanciers montèrent avec dextérité les deux tentes-abris. Chacun assurerait la garde tour à tour jusqu'au matin. A peine troublée par les cris familiers de la jungle, la nuit fut calme.

Le jour s'était levé. Après une toilette sommaire les hommes avaient replié les tentes et étouffé sous leurs pieds les braises du foyer. C'est alors que tout proche un cri terrible retentit. Un des Hindous qui s'était isolé à quelques pas du campement hurlait d'épouvante, Yann et le Capitaine se précipitèrent. Gris de peur, le malheureux montrait en tremblant le petit serpent qui venait de le piquer. Vivement Yann écrasa de sa botte la tête du reptile, le ramassa et l'apporta au Capitaine. Celui-ci qui avait sorti son poignard le remit au fourreau, et fit non de la tête pour signifier que toute intervention était inutile. Mordu par un des plus venimeux serpents de l'île, le lancier allait mourir. Et il le savait. Son teint était devenu couleur de cendre, un violent tremblement agitait tout son corps qui se convulsa soudainement. Yann se pencha sur lui, seuls deux petits points rouge à la base du cou montraient par où la mort était entrée.

Sa tombe fut creusée par ses camarades et recouverte de branchages. Les hautes fougères arborescentes ne montraient nulle trace du passage d'un éléphant, et le Capitaine décida de reprendre le chemin du village. Guidée par la boussole, l'équipe se remit en route à travers la jungle. Moins de deux milles après avoir passé le point d'eau, un vol de grands oiseaux charognards attira l'attention de la petite troupe. Il fallut tirer plusieurs coups de feu pour les effrayer et leur faire abandonner la dépouille qu'ils déchiraient. Le turban orange permit d'identifier le Cinghalais quitté la veille. Il n'était pas allé bien loin. Ses restes sanguinolents ne pouvaient évidemment pas révéler la cause de sa mort, mais les arbres brisés aux alentours témoignaient du passage d'un ou plusieurs animaux de grande taille. Le Capitaine et Yann en convinrent, l'éléphant avait encore tué.

Ils arrivaient aux abords du village lorsque le Capitaine qui marchait en tête leur fit signe d'arrêter. Le doigt sur la bouche pour exiger le silence, il tendit l'oreille aux bruits de branches cassées qui avaient attiré son attention, et qui semblaient se rapprocher. Un martèlement puissant ébranlait le sol comme d'un troupeau lancé au galop. Attiré par l'odeur des hommes, l'éléphant arrivait.

Soudain il fut devant eux et son barrissement sauvage emplit la forêt. Animal venu de la nuit des temps, la trompe levée vers le ciel et les oreilles déployées, il chargeait férocement. La peur au ventre les lanciers se jetèrent dans les fourrés tandis que le Capitaine et Yann tiraient en même temps. Leurs balles n'eurent aucun effet sur le cuir épais du pachyderme. Fou de colère, étonnament rapide en dépit de sa masse, il revint à la charge.

Son cri était maintenant ininterrompu. Le Capitaine armait fébrilement son fusil, mais il n'aurait pas le temps d'ajuster. A genoux, la crosse de son Remington bien calée au creux de son épaule, Yann visa l'orbite gauche de l'éléphant et pressa la détente alors qu'il n'était plus qu'à quelques mètres de lui. Trouant l'oeil, la balle blindée pénétra dans la cervelle et foudroya l'animal qui tomba à genoux avant de s'effondrer. Yann s'était jeté de côté, il se releva haletant pour recevoir les congratulations du Capitaine Dunlop.

– Bravo Yann ! All's well that ends well !

Yann ne pouvait qu'être de cet avis, tout était bien qui finissait bien. A condition, pensa t-il tout de même, de faire l'impasse sur la mort du guide et sur celle du lancier. Les habitants du village acclamèrent les chasseurs, la vie allait reprendre son cours normal. Avec un éléphant de moins, celui-ci étant venu mourir près de l'endroit où il avait vécu.Yann y pensa tout au long du chemin de retour, la défense de quarante kilos d'ivoire qui lui avait été attribuée en perpétuerait le souvenir.

*

* *

Ce fut une fête extraordinaire que donna en juin 1894 au Cercle International de Colombo le français Yann Bellec, Directeur de la R.B.Company – Tea's Départment – pour célébrer à la fois ses trente ans et son départ de la grande île. Tous ses amis, ils étaient nombreux, participèrent à cette soirée somptueuse qui devait rester longtemps dans les mémoires, y compris celui qui avait été un concurrent acharné, son homologue de la Thomas Lipton Company, James Rippley lui-même.

Le beau sexe n'avait pas droit de cité au Cercle mais la « stag-party » – réunion entre hommes – en évoqua pourtant les attraits sur toute la gamme à l'heure des chansons paillardes, sinon graveleuses. L'aimable Captain Ericksen, commandant de « l'Océanic », avait fait débarquer plusieurs caisses de vins de Bordeaux, Bourgogne et champagne pour arroser dignement un menu pantagruélique. Une espèce de medley franco-cinghalais avec des huitres, des crevettes cuites dans du lait de coco, du poisson de l'Océan Indien et des crabes farcis, des poulets au gingembre et des cochons de lait rôtis, parmi les fruits et les fleurs de Ceylan en pyramides éclatantes sur les nappes blanches et les corbeilles de rotin.

S'il aborda à l'heure des toasts son prochain départ pour Singapour, Yann n'entra pas plus avant dans les détails. Les résultats plus que probants obtenus et l'essor considérable qu'il avait su donner à la Compagnie témoignaient de ses qualités humaines et professionnelles. Ralph Beeston en était persuadé, elles pouvaient et devaient s'exprimer dans bien d'autres domaines. Avec le développement prodigieux de l'automobile, le caoutchouc était l'objet d'une demande accrue. Les plantations d'hévéas de Singapour et des Indes néerlandaises avaient besoin d'un tel homme, un nouveau champ d'action et des perspectives ambitieuses s'offraient à lui. Il saurait saisir sa chance.

A la grande surprise de Ralph Beeston, le français déclina la proposition de passer un congé de trois mois en France ou en Angleterre, justifié par quatre ans d'exil en Asie. Yann préférait gagner directement son futur terrain de chasse, pour à la fois étudier un pays inconnu et se former à ses nouvelles fonctions. Les lettres de Saint-Malo dans leur simplicité naïve évoquaient la vie de tous les jours. Yann y lisait pourtant en filigrane toute la tendresse d'une mère. Comme elle eut aimé serrer dans ses bras ce fils du bout du monde. Mais trop de souvenirs pour l'instant atténués se réveilleraient alors. Il était encore trop tôt, le temps n'était pas venu.

C'est ce qu'écrivit en termes voilés, Yann à son patron en Angleterre. Celui-ci comprit et respecta la volonté du jeune français. Yann avait demandé et obtenu la nomination de son ami John Dunlop. Il lui laissait une situation florissante et l'exemple d'une exceptionnelle réussite. Il ne put lui laisser la Daimler. Quelques jours avant son départ, Yann avait fait une escapade amoureuse en compagnie d'une jeune employée de la National Bank. Descendus du vénérable véhicule pour aller batifoler dans la nature, ils avaient été interrompus par un fracas de fin du monde. Garée sur une pointe surplombant la mer, la voiture au frein défaillant avait dévalé de rocher en rocher pour aller s'écraser cinquante pieds plus bas avant de s'engloutir dans l'Océan Indien. Un peu triste tout de même, Yann se consola en pensant qu'elle dormirait peut-être à côté d'un des grands vaisseaux de la compagnie des Indes. Ceux qui, comme lui, étaient venus de Saint-Malo.

Quand leurs yeux se furent habitués à la pénombre qui régnait dans le temple, Yann et Cynthia ne purent se retenir de frissonner. Des centaines de serpents grouillaient silencieusement, entortillés dans de monstrueux enlacements. La chaleur étouffante et la fumée de l'encens que des prêtres brûlaient autour d'eux engourdissaient les reptiles. Tout le venin, toute la terreur du monde était là réunie dans une fresque hallucinante. Grands et petits, cobras, vipères, pithons suspendus aux poutres et aux colonnes, lovés au pied des bouddhas, se confondant avec les plantes, univers cauchemardesque à la fois répugnant et fascinant. Le chinois qui gardait le temple expliqua que les serpents ne s'éveillaient vraiment que la nuit, lorsque les prêtres dans la lumière retrouvée apportaient les proies vivantes, rats et souris, petits rongeurs pétrifiés de terreur que les reptiles tuaient en silence et avalaient avant de s'endormir, repus.

Secouée de frissons malgré la chaleur, la jeune femme quitta le sanctuaire et Yann la rejoignit dans la cour où le grand soleil exorcisait l'angoisse. Délivrée, elle se blottit contre lui et il l'embrassa tendrement, la berçant de paroles apaisantes pour se faire pardonner. C'était lui qui avait insisté pour visiter ce fameux temple des serpents, animaux vénérés par les chinois, célèbre dans toute la presqu'île de Malacca. Les temples abondaient ici, fréquentés par les pèlerins de toute l'Asie, mais celui-ci était unique et Yann, amoureux de l'insolite n'aurait manqué pour rien au monde le rendez-vous de Penang.

Sur la côte de Malacca l'île de Penang est un paradis de verdure et de fleurs éclatantes, et l'été y dure toute l'année. La tournée de prospection sur les plantations d'hévéas se doublait d'un merveilleux voyage de plaisance, et lorsque le bateau vint s'amarrer le long du quai de Georgetown après avoir suivi le South Channel, Yann se dit qu'il avait beaucoup de chance. Une opinion partagée semblait-il par les autres passagers de sexe masculin dont les regards envieux s'attardaient sur la très jolie fille qui l'accompagnait.

– Yann darling, give me your hand, please !

Aussi gentiment sollicité, Yann ne pouvait que tendre une main secourable à sa compagne et la belle Cynthia le remercia d'un lumineux sourire. Dans son ensemble de toile blanche elle était diablement excitante, et le galbe de ses seins sous le corsage de soie ne devait rien aux artifices de sa couturière. Elle sauta lestement sur le quai et Yann la reçut dans ses bras. Il déclina les offres de service des cochers et autres chauffeurs, l'Hôtel Balbus où étaient retenues leurs chambres n'était qu'à quelques centaines de mètres en bordure de mer.

La surprise avait été particulièrement agréable pour Yann lorsqu'il avait débarqué à Singapour six mois plus tôt. Sa collaboratrice la plus proche, à la fois secrétaire et interprète, serait la très belle Cynthia Sunderland qui maniait aussi bien l'humour que les touches de sa machine à écrire. Elle avait également bien d'autres talents et Yann les découvrit peu à peu lorsqu'elle devint sa maîtresse. Célibataire de vingt-quatre ans, Cynthia n'attachait que peu d'importance aux ragots et ne résista pas longtemps au charme de son nouveau patron. D'abord basée sur une réciproque attirance physique, leur liaison représentait désormais quelque chose de plus profond. Elle était très éprise de cet homme, son « french lover » disait-elle, et lui-même au-delà du désir charnel qu'elle savait lui inspirer se demandait parfois s'il n'avait pas retrouvé l'amour.

A Singapour, Cynthia peu soucieuse de respectabilité n'avait pas hésité à venir habiter avec lui dans sa villa de Raffles Road, lorsque Yann le lui avait demandé. Ce qui avait en quelque sorte officialisé leur union, quoiqu'en pouvaient dire les bien-pensants. Mais ici à Georgetown, les convenances de la prude Angleterre imposaient au couple non marié d'occuper des chambres séparées. Il suffirait de glisser quelques roupies à l'employé malais pour qu'elles puissent miraculeusement communiquer.

La transition n'avait pas été trop ardue entre le thé et le caoutchouc. Si les produits étaient bien différents, la marche des affaires et les transactions de l'import-export étaient pratiquement les mêmes. Assez rapidement, Yann s'était adapté avec l'aide de la précieuse Cynthia. Des petits buissons de thé aux gigantesques hévéas, les voyages avaient été beaucoup plus nombreux et surtout plus lointains, jusqu'à Java et Sumatra. Née en Malaisie, Cynthia en pratiquait la langue et parlait assez bien le chinois, arguments non négligeables dans une région où l'essentiel du commerce est entre les mains des fils du Céleste Empire.

Traditionnelle sous les tropiques, la sieste de l'après-midi avait réuni Yann et Cynthia sur le grand lit, nus sous les rideaux de mousseline de la moustiquaire. Leur tenue n'était peut-être pas la meilleure pour un sommeil réparateur puisque assez rapidement les jeux érotiques avaient succédé à l'assoupissement. Yann était sans doute au mieux de sa forme, car sa partenaire avait – du roucoulement au rugissement en passant par le feulement – exprimé sur toute la gamme l'étendue de ses sensations. Redescendu pour un instant des sommets où l'avait entraîné la passion amoureuse, Yann crut voir bouger les lamelles du store de la terrasse. Il se leva d'un bond et ouvrit si vite la porte-fenêtre que le jeune employé malais qui profitait du spectacle n'eut pas le temps de réagir. L'apparition de cet athlète nu comme un ver le frappa de terreur, et il se mit à couiner son innocence. Yann le prit par le col de sa veste blanche, et le soulevant presque de terre lui fit traverser la chambre. Le petit malais n'osa pas jeter un dernier coup d'oeil sur le corps dénudé de Cynthia qui émergeait à peine d'un bienheureux engourdissement. Il se retrouva sur le palier, et un solide coup de pied au cul le propulsa vers l'escalier.

L'incident l'avait plus amusé que fâché, et Yann finalement mis en joie par l'intermède se glissa sous la douche. Cynthia, à qui la scène avait échappé, se leva et vint le retrouver sous le jet d'eau tiède. C'est là qu'ils poursuivirent l'agréable entretien entamé après le déjeuner, et un instant interrompu. Lorsqu'ils descendirent dans le grand hall, l'employé voyeur se figea. Il eut sans doute souhaité pouvoir disparaître dans un trou de souris. Bon prince, Yann lui fit un clin d'oeil au passage.

*

* *

La présence de Cynthia à ses côtés lui apportait beaucoup, Yann se plaisait à le reconnaître. Outre le plaisir d'avoir pour compagne de voyage une jeune et jolie fille sensuelle et tendre, ses interventions voire même sa seule présence facilitaient grandement les négociations. Des forêts entières d'hévéas sauvages, situées dans les différents Etats princiers de la péninsule malaise étaient parfois en balance, avec des enjeux de plusieurs millions de livres sterling. Sa connaissance de la langue, son sourire et son charme, étaient autant d'atouts. L'ouverture de voies de communication à travers la jungle sur le territoire de chasse des princes relevait parfois de la haute diplomatie. C'est à Cynthia que Yann devait la plupart de ses réussites en ce domaine, et certaines Altesses eussent volontiers troqué leurs plus belles forêts contre cette jeune femme au sourire charmeur.

Veuve d'un major du Royal Cipayes, la mère de Cynthia reçut Yann avec la plus exquise urbanité. Après avoir vécu plus de trente années aux Indes et en Extrême-Orient , ses principes rigoristes tendant à l'éducation des filles s'étaient quelque peu édulcorés. Sa fille était majeure et menait sa vie comme elle l'entendait, même si le fait de vivre avec un homme en dehors du mariage ne répondait peut-être pas à ses espérances secrètes. D'ailleurs, il semblait que sa fille avait hérité des idées assez peu conformistes qu'affichait Trevor Sunderland, son défunt mari, et qui avaient sérieusement compromis son avancement. Ses camarades de promotion étant pour le moins colonels. Comme lui, Cynthia n'en faisait qu'à sa tête.

Yann avait longtemps différé cette rencontre souhaitée par son amie. Il céda finalement, vaguement gêné, redoutant peut-être inconsciemment une démarche qui engagerait son avenir. La cordialité de l'accueil, le charme et l'humour de la veuve le mirent rapidement à l'aise, et à l'heure du thé – R.B of Ceylon – il était conquis. Il retrouvait un peu de sa mère dans le doux sourire de cette dame aux cheveux blancs. En confiance Yann parla de Saint-Malo et de son enfance, comme de sa vie en Asie depuis cinq ans.

Il semblait que le major Sunderland avait été un personnage hors du commun, et Yann se dit qu'il aurait bien aimé le rencontrer. La mère de Cynthia évoquait ses charges héroïques au Bengale à la tête de ses Cipayes, ou les chasses au tigre à dos d'éléphant avec les maharajahs. Elle fit admirer les sabres et les poignards conquis dans les combats, et Yann ne manqua pas d'être impressionné par les fusils de ce grand chasseur devant l'Eternel. Il promit de revenir.

Invités par le Sultan de l'Etat indépendant de Johore, sur la presqu'île de Malacca, à passer quelques jours dans son palais de Johore Bharu, Yann et Cynthia avaient accepté d'enthousiasme. Dans cette région aux deux tiers couverte de forêts et de marécages, d'immenses plantations d'hévéas justifiaient le désir princier d'envisager avec le Directeur de la R.B. Company – et sa collaboratrice – l'achat d'une grande partie de la production de latex.

Vêtu d'une longue tunique de soie blanche et de jodhpurs immaculés, le Sultan avait fière allure et le rubis de son turban pailleté fascina Cynthia lorsqu'il se pencha pour lui baiser la main. Il fit lui-même les honneurs de son palais, des jardins et des écuries, à ses hôtes. Seule une partie des bâtiments resta secrète, elle abritait sans doute le harem princier. Les chambres des invités étaient superbes et heureusement voisines, flanquées l'une et l'autre de salles de bains somptueuses. La réception éblouissante que leur réserva le Sultan montra en quelle estime il les tenait. Une nuée de serviteurs attentifs à leurs moindres désirs, des mets d'une finesse exquise, tout était réuni pour que Yann et Cynthia gardent un souvenir inoubliable de leur séjour sur l'île de Johore.

N'était un très léger accent, le prince parlait un anglais parfait. Lorsque fut venu le temps des négociations, il montra qu'il connaissait aussi toutes les subtilités du commerce international et son âpreté ne laissa pas d'étonner ses interlocuteurs. Une fois encore Yann ne put qu'admirer le talent et la force de persuasion de sa compagne. Elle emporta la décision alors même que son Directeur allait renoncer devant les exigences princières, en développant des arguments jusqu'alors gardés en réserve. Ajoutés à son irrésistible sourire et à tout le charme qui émanait de sa personne, ils vinrent à bout du Sultan subjugué. Lorsque le contrat portant sur des tonnes de latex fut paraphé et scellé aux armes de Johore, Yann eut l'impression d'avoir assisté au combat fascinant de la mangouste et du cobra.

Lors du repas du soir, des toasts furent portés pour célébrer l'accord conclu. Coran oblige, le Sultan leva son verre d'eau mais le champagne qu'il fit servir à ses hôtes provenait des meilleures cuvées de France. Il frappa dans ses mains et un serviteur apporta un écrin posé sur un plateau d'or. Le prince s'avança vers Cynthia et s'inclina devant elle.

– Miss, ce fut un privilège de vous recevoir dans ma demeure, votre beauté n'a nul besoin d'être mise en valeur, mais que du moins ce modeste présent soit le gage de mon admiration et de mon amitié.

Il ouvrit l'écrin et le remit à la jeune femme. Comme autant de gouttes de sang, les rubis d'un superbe bracelet y jetaient leurs feux. Le souffle coupé, Cynthia ne put que balbutier quelques remerciements maladroits. De nouveau le Sultan frappa dans ses mains. A Yann éberlué il offrit un poignard à lame recourbée dont le manche scintillait de pierreries.

– Que cette lame vous protège ! Et qu'elle vous soit garante de mon amitié.

– Je vous remercie, Altesse, Miss Sunderland et moi-même n'oublierons jamais votre accueil, dit Yann très ému.

– Vous savez que je vous envie, Monsieur Bellec.

– Vraiment, Altesse ?

– C'est vrai, sourit le Sultan, je vous envie d'avoir une collaboratrice de cette classe. Et je donnerais une fortune pour m'attacher ses services.

– Ce serait un grand honneur, Altesse, intervint Cynthia, mais trop de choses me retiennent à Singapour.

– J'en suis sûr, répondit le Sultan, en regardant Yann. Fair-play, il abandonna le sujet et dit à ses hôtes qu'il leur avait préparé une surprise.

– Aimez-vous la chasse, l'un et l'autre ? La réponse affirmative l'enchanta.

– Alors, demain nous chasserons le gaur. Venez avec moi choisir vos armes.

Proche des appartements princiers, une grande salle couverte de trophées dévoila ses merveilles. Les murs s'ornaient de sabres, de lances et de poignards. Avec quelque fierté le prince fit admirer les fusils, certains aux crosses damasquinées venus d'une autre époque et d'autres sortis tout récemment des usines d'Angleterre et d'Allemagne. Le revolver Webley and Scott, de Birmingham, était en service dans l'armée anglaise depuis 1892, et le pistolet semi-automatique de John Browning, expliqua t-il, était le tout dernier modèle. Sur ses conseils, Yann choisit de prendre un fusil Lee-Enfield. Cynthia se voyant dotée d'un Mauser 7,92 mm semi-automatique.

Le lendemain matin, une expédition de plusieurs voitures garnies de serviteurs en armes quitta le palais. Elles avaient été précédées de rabatteurs malais. Dans la longue automobile du Sultan, Yann et Cynthia – équipés et armés par leur hôte – regardaient avec étonnement le paysage contrasté qui défilait sous leurs yeux. Le convoi se dirigeait vers l'Est, traversant des zones marécageuses où de grands oiseaux échassiers noirs comme la nuit fouillaient la fange à la recherche de charognes. Aux champs de joncs bordant des eaux croupies aux miasmes pestilentiels succédèrent des forêts d'aréquiers, grands palmiers au coeur comestible, et la nature devint plus sauvage. Bambous et plantes épineuses, hautes herbes et lauriers géants annonçaient les forêts giboyeuses du Sultan de Johore. Celui-ci expliquait à ses invités fascinés les oiseaux paradisiaques et les serpents venimeux qui hantaient le coeur de la jungle. Cynthia s'étonna des cris étranges qui se faisaient entendre, tout proches parmi les bambous.

– Eh bien, Miss, c'est l'occasion d'essayer votre arme, suggéra le Sultan. Il fit stopper la voiture et invita le couple à descendre. Le convoi s'arrêta derrière lui et le prince jeta un ordre bref à ses suivants. Quatre hommes torse nu, en caleçons court et turban, après avoir coupé de longs bambous s'engagèrent sous le couvert. Ils frappaient sur les tiges cylindriques excitant de la voix d'invisibles animaux. Alors, s'élevèrent d'inquiétants ricanements qui allaient crescendo pour se terminer en rugissements.

– Ce sont des singes rieurs, dit le Sultan, ils sont parfois dangereux surtout lorsqu'ils sont blessés. Alors visez bien, Miss ! Mais ne craignez pourtant rien, nos fusils sont prêts.

Chassé par les rabatteurs, un quadrumane à l'épaisse fourrure noire jaillit des bambous en poussant des cris stridents. Il s'arrêta, interdit, à une vingtaine de mètres du groupe qui l'attendait. Ses yeux extrêmement mobiles exprimaient la plus grande fureur, de ses bras démesurés il se frappa la poitrine.

– Quand vous voudrez, Miss, dit le Sultan à Cynthia. Lui-même avait épaulé son fusil.

Le coup de feu éveilla tous les échos de la forêt. Frappé en plein poitrine, le grand singe eut un geste convulsif comme pour arracher de lui l'horrible flamme qui venait de le foudroyer, et tomba en avant la face dans les hautes herbes.

– Joli coup de fusil, Miss, s'exclama le Sultan, votre main n'a pas tremblé ! A son commandement, deux hommes retournèrent l'animal. Alors le Sultan s'avança vers la dépouille, sortit de sa ceinture un kandjar à la longue lame effilée et coupa la tête du singe. Il brandit vers le ciel ce masque grimaçant aux dents acérées, avant de l'apporter à Cynthia aussi pâle que sa veste de toile blanche.

– Il vous revient, Miss, il vous rappellera l'île de Johore et témoignera de votre courage.

Avec soulagement la jeune femme le vit jeter à ses serviteurs le sanglant trophée. Sans doute serait-il préparé pour elle par les spécialistes du palais. Il fallait sûrement y voir un hommage princier, mais Cynthia avait été étonnée du sourire cruel et tremblait encore en montant dans la voiture. Retrouvant ses manières de gentleman, le Sultan se pencha vers Yann.

– Miss Sunderland a bien des talents, dit-il d'une voix douce, cette variété de singes a une force prodigieuse et peut mettre un homme en pièces. Avec le gaur, c'est tout de même un autre adversaire que vous allez trouver. Ce sera à vous cette fois, mon cher, de viser juste.

Espèce de boeuf sauvage des Indes et de Malaisie, le gaur était effectivement d'une autre stature. Les tête empaillées dans la salle d'armes du palais de Johore en portaient témoignage. Après avoir roulé durant plus d'une heure, le convoi s'arrêta au signal d'un rabatteur en turban rouge posté sur la piste au débouché de la forêt. En quelques mots, il indiqua à son maître que les autres avaient isolé un grand mâle du troupeau en quête d'herbe grasse. Pour qu'un vent favorable ne permette pas à l'animal de déceler la présence des hommes, ils devaient l'attendre ici.

Le Sultan fit mettre en place le dispositif où tout à l'heure viendrait se jeter l'animal. Une douzaine de fusils l'attendraient mais le Sultan donna l'ordre de n'intervenir qu'en cas de danger. Le gaur était réservé à son invité qu'il fit placer face à la brèche. Cynthia insista pour rester à ses côtés.

Le piétinement de l'animal ébranla le sol. Agenouillé à découvert Yann attendait le doigt crispé sur la détente. Tout à l'heure fébrile, il avait à l'heure du danger retrouvé son calme et demandé à Cynthia de s'abriter derrière un tronc. Le galop se rapprochait. Le gaur déboucha juste dans la ligne de mire du Lee-Enfield, cornes basses il chargeait de toute la puissance de ses huit cents kilos. La balle en pleine tête arrêta net la charge brutale, il boula sur lui-même emporté par son élan. Il tenta de lever son mufle vers le ciel pour un ultime mugissement et retomba raide mort.

Une clameur de joie salua l'exploit de Yann. Abandonnant toute réserve, Cynthia se jeta dans ses bras et l'étreignit presque avec violence. Il lui murmura quelque chose à l'oreille qu'elle seule entendit, elle leva vers lui un visage noyé de larmes et il l'embrassa tendrement.

Le lendemain, à l'heure de quitter le palais princier, Yann se confia au Sultan.

– Altesse, j'ai voulu que vous soyez le premier à connaître la nouvelle. J'ai demandé la main de Cynthia Sunderland et... elle a bien voulu me l'accorder. Nous nous marierons à Singapour.

Il est des jours où les souvenirs affleurent venus des profondeurs. Ils remontent à la surface comme des bulles translucides avant d'éclater dérisoires, laissant derrière eux des bouffées de nostalgie, des odeurs d'enfance et des parfums de femmes. La mer à Saint-Malo et le sable des grèves, la boulette grésillante de l'opium, et cette fièvre qui brûle le sang et ne s'apaise qu'en buvant aux lèvres de l'aimée.

Dans sa villa de Raffles Road, le balancement du rocking-chair berçait la rêverie de Yann un peu mélancolique. Le dimanche anglais engendrait chez lui cet indicible spleen et malgré sept années de vie anglo-saxonne l'accoutumance ne s'était jamais faite. Il en allait d'ailleurs de même pour la cuisine dont le seul breakfast trouvait grâce à ses yeux. Et pourtant quelle réussite avait couronné la carrière du petit coureur des grèves désormais riche et considéré.

Le paquet d'actions de la Compagnie qu'il avait acquis sur les conseils de Ralph Beeston valait maintenant une petite fortune. La laine et le blé d'Australie, le thé de Ceylan et le caoutchouc de Malaisie l'avaient mis pour longtemps à l'abri du besoin. Dans deux mois il allait fêter son trente-deuxième anniversaire et l'avenir s'annonçait plein de promesses. Qu'il était loin le petit fusilier-marin du Tonkin !

Cette idée l'amena naturellement à penser à celui qui avait été l'ami précieux et l'artisan de sa réussite. En quel pays, sur quel océan navigait Hubert de Valclouet, officier de marine et gentihomme de Touraine ? Avec un pincement au coeur s'imposa une autre image, celle d'Isabelle. Sept ans déjà et une blessure qui saignait encore.

Il ferma les yeux pour évoquer d'autres images, d'autres femmes, dont les visages se révélaient avec netteté ou vaguement imprécis. La plupart n'avaient été que de brèves escales, des amours de rencontre vites oubliées. Yann compta sur ses doigts, elles n'avaient pas été nombreuses celles qui avaient marqué sa vie.

Et puis Cynthia était venue avec sa fougue et sa tendresse, son amour jamais démenti. Dans deux mois elle serait sa femme et il l'emmènerait à Saint-Malo. Depuis près de deux ans elle partageait sa vie et ses voyages, amie fidèle et maîtresse ardente, sans qu'aucun nuage ne vienne troubler l'harmonie d'une liaison désormais reconnue.

Alors, pourquoi ce matin d'avril à Singapour s'embrumait-il d'une vague tristesse ? Yann se leva. Décidément, les mornes dimanches ne lui convenaient pas.

Une fois n'était pas coutume, Yann n'avait pas souhaité la présence de Cynthia à ses côtés pour la tournée des plantations de la côte Ouest qu'il entreprit aux premiers jours d'avril. L'indisposition dont souffrait la mère de la jeune femme lui en fournit le prétexte. En fait, le bureau de Kuala-Lumpur alertait Singapour depuis plusieurs semaines sur l'étrange climat de rébellion et d'insécurité qui régnait dans la région. Des bandes de pirates s'attaquaient aux intérêts anglais, pillant et dévastant entrepôts et fabriques. Il semblait s'agir de mouvements épisodiques sans réelle organisation, et le 8eme Royal-Highlanders avait battu la région sans succès pendant une quinzaine. Les troupes reparties, les exactions avaient recommencé. Il importait donc d'aller juger sur place et de prendre les mesures de protection éventuelles.

Une fiévreuse activité régnait sur le port et les docks, lorsque Yann embarqua sur le cargo-boat qui après une escale à Port-Dickson remonterait jusqu'à Kuala-Lumpur. Pousse-pousse et rickshws se croisaient et se bousculaient pour être les mieux placés à la descente des passagers du grand paquebot d'Extrême-Orient. Casqués de blanc, les policiers en short jouaient de la matraque dans la cohue glapissante, sous le regard un peu méprisant de gros commerçants chinois en robe et calotte de soie venus attendre un des leurs. Le coup de sirène arracha Yann à sa contemplation, son bateau larguait les amarres.

Il n'y avait pas grand chose à voir à Port-Dickson, et Yann s'en fut boire un verre à la plus proche taverne le temps du déchargement des sacs de riz, cargaison habituelle du rafiot. Marins du tramping et aventuriers de tout poil y composaient une étonnante galerie de forbans. Sa carrure imposait le respect et nul ne vint troubler sa méditation solitaire.

– Hello, old chap !

La voix était toujours éraillée, entretenue par les petits cigares noirs de Manille et le whisky, mais James Harrisson responsable du bureau de Kuala-Lumpur était toujours aussi chaleureux. Yann aimait bien ce grand type maigre buveur et flambeur, mais sur qui on pouvait compter en toute occasion. Il alla droit au but.

– Eh bien, James ? Je sais que vous n'êtes pas du genre à vous affoler pour rien, mais tous ces appels ? Est-ce vraiment si sérieux ?

– Oui, je le crains, les ouvriers des plantations sont menacés en permanence et ceux de l'usine désertent jour après jour. Garett est sur les nerfs, c'est pour cette raison que je vous ai alerté.

– All right, James ! Nous irons là-bas demain matin, faites préparer tout ce qu'il faut, dit Yann, ce soir vous êtes mon invité.

Yann s'était toujours demandé comment un homme aussi maigre pouvait autant manger. Il s'interrogea une fois de plus au « Blue Paradise », un restaurant où Harrisson avait ses habitudes. Il est vrai qu'il buvait plus encore qu'il ne mangeait. Etonnant personnage !

L'oeil vif et le teint rose, Harrisson vint prendre Yann à son hôtel à l'heure convenue. Dans sa voiture il emportait une véritable artillerie, fusils et carabines, annonça-t-il. En soulevant la couverture qui dissimulait les armes, Yann aperçut une caisse de whisky. Il se dit que l'ami James n'avait pas oublié ses propres munitions.

Quittant les rues animées de la ville la voiture traversa les faubourgs aux maisons de bois, puis les rizières bordées de cocotiers. Une dizaine de milles plus loin commençaient les immenses plantations d'hévéas. Il faisait déjà chaud et Yann ôta sa veste de toile, tandis qu'Harrisson engueulait copieusement un conducteur de char à boeufs qui occupait les trois-quarts du chemin avec son attelage. La haute cheminée de l'usine de transformation apparut bientôt, surplombant les bâtiments et les hangars. La voiture s'arrêta devant les bureaux aux larges baies voilées de stores.

C'était peu dire de Garett, le Directeur de l'usine, qu'il était sur les nerfs. Ce type avait la frousse. Yann s'en rendit compte immédiatement au tremblement de sa lèvre inférieure, lorsque volubile l'homme rendit compte de la défection successive de son personnel indigène, et exprima les plus grandes réserves sur l'avenir de l'exploitation. Quoiqu'il arrivât, se dit Yann, il faudrait le remplacer, Garett avait besoin de repos. Il avait jusqu'ici rempli ses fonctions avec compétence, à la satisfaction de la Compagnie. Yann devait savoir ce qui se passait ici, et très vite.

Tout avait commencé, expliqua Garett, deux mois plus tôt par des actes de malveillance alors attribués à des ouvriers congédiés. En même temps, des troubles agitaient la région avec une recrudescence d'attentats contre les installations anglaises. Alerté, le Gouverneur avait envoyé des troupes. Les patrouilles de jour comme de nuit n'avaient rien donné, et la situation semblant redevenue normale les soldats avaient regagné Singapour. Depuis, des bandes armées brûlaient chaque nuit les paillotes de ceux qui continuaient à travailler pour les anglais. Les planteurs montaient la garde sur leur propriété, mais les ouvriers terrifiés restaient chez eux. Bientôt il faudrait arrêter la production faute de main-d'oeuvre. Le danger se rapprochait, estimait le Directeur, huit jours plus tôt la maison de son chef d'atelier avait brûlé. Le malheureux avait été tué et sa tête fraichement coupée accrochée à la porte de l'usine. Le matin même, Garett avait trouvé le corps de son chien en travers de sa porte, le dogue avait été empoisonné à la datura.

La situation semblait sérieuse et Yann se promit d'en entretenir le Gouverneur dès le lendemain. Sa visite des ateliers confirma les craintes émises par Garett, si les défections se poursuivaient l'usine allait devoir fermer ses portes. En accord avec Harrisson il décida de passer quelques jours sur place, autant pour rassurer un Garett en proie à la panique, que pour prendre avec les autorités compétentes les mesures nécessaires.

Armes et bagages descendus de la voiture, des lits de camp avaient été dressés dans les pièces vides de l'appartement au-dessus des bureaux de la Compagnie. Le repas du soir, préparé par le couple de serviteurs logés dans un pavillon de l'usine, avait réuni les trois hommes. La bière était fraîche et la jovialité des deux arrivants avait un peu rasséréné le malheureux Directeur. Incorrigible, Harrisson avait sorti cartes et whisky et proposé un pocker à ses collègues. Les mises étaient plutôt symboliques, mais Garett bénéficiant d'une chance insensée avait tout ramassé. Même s'il y laissait quelques plumes, Yann s'était intérieurement réjoui que le doigt du destin ait désigné pour vainqueur celui des trois qui avait le plus besoin de réconfort.

Dans ses leçons de catéchisme jadis à Saint-Malo, le Père Tellier soucieux de frapper l'imagination de l'enfant lui faisait de l'enfer une description aussi imagée qu'apocalyptique. Cornus et grimaçants, les démons tourmentaient les malheureux qui avaient commis des péchés mortels. De leur fourche, ils poussaient les damnés dans les flammes dévorantes. Le petit Yann ne pouvait s'empêcher d'y penser le soir dans son lit, en récapitulant les peccadilles – bagarres ou petit larcins – qui avaient marqué sa journée.

Bon Dieu ! Le Père Tellier avait raison, tout était vrai et les flammes étaient encore plus terrifiantes que dans ses évocations. Elles montaient tout droit en crépitant. Où étaient les démons ? Ils allaient venir, déjà leurs cris abominables parvenaient à ses oreillles. Ruisselant de sueur Yann s'assit sur son lit, les tripes tordues par l'angoisse. Dans cet état cotonneux entre le cauchemar et l'éveil, il tentait de réaliser. Il se disait qu'il avait un peu forcé hier soir sur le whisky d'Harrisson et...

En caleçon, il se leva d'un bond, soudain dégrisé. Les flammes étaient bien réelles et illuminaient la chambre, il courut à la fenêtre. L'usine brûlait et les bâtiments n'étaient plus qu'un brasier, il entendait distinctement les vitres des bureaux éclater sous l'effet de la chaleur. Yann se jeta dans le couloir, les flammes dévoraient toute l'aile du bâtiment et une horrible odeur de caoutchouc brûlé arriva jusqu'à lui, poussée par le vent.

A présent le feu embrasait tout le bâtiment, Yann enjamba le balcon et sauta jusqu' à terre où le gazon amortit sa chute. Pieds nus il courut vers la sortie de l'usine. Des tonnes de latex brûlaient et une énorme colonne de fumée noire montait dans le ciel rougeoyant. Harrisson et Garett avaient-ils réussi à sortir de l'enfer ? Yann tremblait maintenant malgré la chaleur dégagée par l'incendie. Ses poumons lui faisaient mal, et la terrible douleur du coup de poignard de Colombo s'était brutalement réveillée. A bout de forces, il s'effondra.

Le drame était consommé confirmant les alarmes du malheureux Garett, et le pauvre Harrisson avait bu la veille au soir ses derniers whiskies. Tous deux avaient péri dans les flammes, et leurs cris d'agonie avaient pris pour Yann des résonances démoniaques. Alertés par les lueurs de l'incendie visible à des dizaines de milles, les autorités avaient envoyé immédiatement un détachement militaire. Les soldats ne trouvèrent que des ruines fumantes et à quelques dizaines de mètres un homme évanoui. Yann, hébété, fut transporté à l'hopital pour recevoir les soins qu'imposait son état. Deux heures plus tard, il en sortait la rage au coeur pour se rendre au palais du Gouverneur. La gravité de la situation justifiait l'énorme déploiement de forces qui se mit en place dans les trois jours, et le Directeur de la R.B.Company avait d'ailleurs refusé d'envisager toute reconstruction de l'usine avant que la région ne soit totalement nettoyée.

De nombreuses formalités administratives et judiciaires requirent sa présence à Kuala-Lumpur une semaine encore. La nouvelle du drame avait été portée dans toute la Malaisie, et Cynthia follement inquiète accueillit à Singapour son futur mari sérieusement secoué par la tragédie. Moins d'un mois plus tard, une lettre du Gouverneur apprenait que les moyens considérables mis en place avaient permis l'élimination des bandes rebelles fortes d'une centaine de fanatiques. Ceux qui n'avaient pas été tués au cours de leur capture, disait le Gouverneur, se balanceraient bientôt au bout d'une corde.

La chaleur torride qui régnait en ce début du mois de juin avait considérablement ralenti l'activité de la colonie anglaise de Singapour. Seule la fin de l'après-midi apaisait le feu du ciel, et la ville ne s'éveillait vraiment qu'à partir de ce moment. C'était l'heure des rencontres au Sporting pour les garçons et les filles en tenue blanche, celle des rendez-vous galants dans les garçonnières aux rideaux baissés, et l'heure du thé pour les douairières. La douceur de la soirée et la fraîcheur de la nuit assurant une agréable transition.

C'était pour Yann l'heure de la réflexion. La tragédie de Kuala-Lumpur l'avait sérieusement ébranlé et il en ressentait maintenant les effets, après avoir mis en place une nouvelle équipe pour la reconstruction et la remise en route de l'usine. Sa solide constitution reprendrait le dessus, la carcasse en avait vu d'autres, mais le moral avait été atteint. Yann s'interrogeait sur sa responsabilité. Avait-il pris suffisamment au sérieux les alarmes de ses collaborateurs ? N'aurait-il pas dû réagir plus tôt ?

Attentive et tendre, Cynthia s'efforçait de chasser les doutes qui l'assaillaient et de lui rendre cette joie de vivre qu'elle lui avait toujours connu. C'est pourquoi elle avait accepté avec enthousiasme la proposition de leurs amis Ashley d'une croisière de quelques jours sur la côte Est de la péninsule malaise. Rien de mieux pour chasser les idées noires que la brise marine et la caresse des vagues, par cette chaleur. Et puis, Henry et Maureen Ashley n'engendraient pas la mélancolie, les deux couples se retrouvaient assez régulièrement. C'est à eux que Cynthia et Yann avaient demandé d'être les témoins de leur mariage, à la fin de ce mois.

La goélette blanche au pont de teck portait fièrement son nom – Sea Bird – écrit en lettres d'or, et c'est comme un oiseau de mer voiles déployées qu'à la sortie du port elle prit le cap, poussée par une bonne brise. Ravi de retrouver des sensations lointaines Yann tenait la barre évitant les jonques chargées à ras-bord, dont la navigation était souvent peu orthodoxe. Il salua le yacht du Gouverneur, et pleinement heureux dans la lumière du matin embrassa fougueusement Cynthia. Elle lui rendit son baiser et posa sa tête sur son épaule dans un geste d'abandon. Levant les yeux au ciel elle vit qu'un oiseau noir s'était posé sur une enfléchure, et en fut mal à l'aise.

Henry Ashley qui exportait vers l'Europe toutes les épices d'Extrême-Orient, était un ancien officier de marine et avait longtemps servi sur une frégate de Sa Majesté. Il en avait gardé la passion de la mer et des bateaux. Membre influent du Yacht Club il participait à toutes les régates, et à quarante huit ans gardait un corps d'athlète mince et nerveux. Il eut volontiers tout sacrifié à cette passion dévorante, et au terme d'une croisière il retrouvait sans plaisir excessif la ville et les affaires. Il lui fallait, disait-il, quelques jours pour retrouver un sommeil régulier dans un lit qui n'était plus secoué par les vagues. A Yann assis sur le roof il lança d'un ton joyeux :

– Connaissez-vous quelque chose de plus merveilleux au monde ? C'est fabuleux la mer, Yann ! C'est de son sein que nous venons, nous sommes ses enfants.

Né sur ses rivages, Yann adorait aussi la mer. Mais il lui fallait bien admettre que les eaux tièdes et calmes de la mer de Chine sous le soleil tropical, n'avaient pas grand chose à voir avec celles glacées de l'Atlantique-nord où pêchaient les Terre-neuvas dans un linceul de brume.

– C'est vrai, Yann ! Mais c'est toujours la mer, fantastique élément qui vit, respire, sait se faire chaude et accueillante comme une femme, et qui peut tout de suite après écumer de colère et vous meurtrir à jamais. Toujours comme une femme !

Le rire éclatant de Yann fit se retourner les deux femmes allongées au soleil sur des nattes. Voilà qu'Henry devenait poète !

En y réfléchissant, Yann se dit que sa réflexion sur les femmes était assez pertinente. Il regarda Cynthia, ses longues jambes dorées par le soleil, et fut envahi d'une infinie tendresse. Celle-là ne l'avait jamais fait souffrir. Yann se promit de la rendre heureuse autant qu'il le pourrait.

Il mit ces bonnes résolutions en pratique le soir même, et la nuit qui les réunit dans leur cabine luxueusement équipée de teck et de cuivre, lui révéla l'amour en mer dans sa plénitude. Au mouillage dans une anfractuosité de la côte, le clapot des vagues contre la coque avec son bercement voluptueux déchaîna les amants qui ne s'endormirent qu'au petit matin.

Des pas sur le pont, des bruits de chaînes et d'écubier l'éveillèrent, Ashley levait l'ancre. Yann sourit, celui-là préférait son bateau à sa femme pour la délaisser de si bonne heure. Nue contre lui, leurs jambes étroitement mêlées, Cynthia dormait profondément. Il se dégagea aussi doucement que possible et gagna la cuisine. La mer – et l'amour – ouvrant l'appétit, il se confectionna un solide breakfast d'oeufs, de jambon, de marmelade d'oranges et de café, alluma une cigarette et monta sur le pont.

– Hello, Captain !

Coiffé de sa vieille casquette à l'ancre d'or de la Navy, Henry salua réglementairement. Les yeux brillant d'excitation il tenait la barre, marchant au plus près tribord amures et portant toute sa toile.

– Bien dormi, les amoureux ?

– Merveilleusement, dit Yann, sincère.

– Je vous l'avais dit, la mer, Yann, il n'y a que la mer.

La côte était proche, avec ses énormes rochers. Il fallait qu'Henry connaisse parfaitement les parages pour se faufiler ainsi entre les cailloux. Yann suivit du regard les évolutions d'un paduakan, petit voilier caboteur de Célèbes, qui remontait au vent. Le bonheur. C'était le bonheur à l'état pur, se dit Yann en faisant jouer ses muscles au soleil.

– Maureen souhaite que nous fassions une escale à Pakuan, dit Ashley, nous y accosterons vers midi. Je ne puis être trop égoïste en lui refusant ce plaisir. Bien sûr elle aime le bateau, mais elle ne partage que modérément ma passion de la mer, très vite la terre ferme lui manque, la terre et ses plaisirs.

Yann sentit un certain regret dans la voix de son ami, comme teintée d'amertume. Le vent fléchissait et Henry alla chercher de l'air plus vif au large.

Un cargo était en charge au port de Pakuan, et quelques barques de pêche aux arceaux de bambous se balançaient à l'amarre. La goélette vint accoster. Le temps d'un déjeuner, avait dit Henry, mais l'escale se prolongea un peu par une visite au temple, où des pierres centenaires étaient envahies par les fleurs au flanc d'une colline. Les deux femmes avaient insisté pour cette escapade. Tradition oblige, elles jetèrent quelques pièces de monnaie dans le bassin des tortues sacrées. Le vénérable gardien du temple leur assura mille ans de félicité.

Il faisait de plus en plus chaud et le pont du bateau était brûlant sous les pieds. Yann avait repris sa place habituelle à tribord, le côté noble du navire. C'est par tribord qu'embarquent les rois et débarquent les morts, lui rappelait jadis Hubert de Valclouet. Henry semblait soucieux, un pli barrait son front et il ne manifestait pas sa jovialité habituelle. Les femmes étaient descendues se reposer dans leur cabine et Yann respecta le mutisme de son ami. Le bleu du ciel lui rappela la Méditerranée lointaine par sa pureté, mais de petits nuages blancs venaient du bout de l'horizon.

En fin d'après-midi le vent se leva et le ciel se voila. La mer s'était creusée et la goélette s'y enfonçait pour remonter à la lame. Elle avait pris une gîte qui inquiéta Yann. Henry ne semblait en avoir cure et il fallut toute l'insistance de son ami pour qu'il consente à réduire la voilure. Depuis le matin, Yann avait observé que les oiseaux de mer gagnaient la côte à tire d'aile. A Saint-Malo, on disait qu'ils sentaient venir le mauvais temps.

Très haut, de petits nuages blancs échevelés filaient maintenant et le soleil s'entoura d'un halo diaphane. Yann descendit dans l'entrepont, la dégringolade du baromètre ne pouvait tromper. Il fallait se mettre à l'abri. Henry en convint, et dans une manoeuvre magistrale gagna une petite anse parfaitement protégée, après avoir amené toute la toile. A l'ancre, le bateau ne risquait plus rien et le ciel pouvait bien déchaîner sa colère.

L'orage éclata brutalement dans un ciel noir et lourd de nuages qui soudain s'illumina d'éclairs. Les roulements du tonnerre étaient répercutés par les rochers de la côte, tandis qu'une lourde pluie s'abattait avec violence sur les lames du pont. Panneau refermé et rideaux tirés la goélette était tout de même secouée par les vagues, mais son équipage à l'abri dans le carré s'en souciait assez peu. Le repas du soir fut particulièrement animé, et Yann apprécia que le Captain Ashley ait retrouvé sa joyeuse humeur. C'est lui qui avait préparé le somptueux dîner, plutôt inattendu dans ces circonstances, véritable repas de fête arrosé de champagne. Les hommes rivalisèrent de gaieté et d'esprit, et lorsque les couples regagnèrent leur cabine tout le monde était un peu gris. Le vent soufflait avec rage maintenant, et lorsqu'il s'effondra sur sa couchette Yann se dit que lui-même avait sérieusement du vent dans les voiles.

Le bateau dansait comme un bouchon sur la mer, mais c'est le fracas des vagues contre la coque qui sortit Yann de son sommeil. Il s'assit jambes pendantes sur le bord de sa couchette. Pas de doute ça remuait salement, le bois craquait et gémissait dans la mâture et quelque chose claqua sèchement sur le pont. Dans le hurlement du vent, la goélette roulait bord sur bord.

Dans un éclair Yann réalisa. Le bateau avait chassé sur son ancre et allait être jeté sur les rochers. Tout le monde dormait, lui seul avait entendu. Seulement vêtu d'un pantalon il se précipita dans la coursive, grimpa les quelques marches pour soulever le panneau d'écoutille mais n'y parvint pas. Quelque chose avait dû tomber qui coinçait ce maudit panneau. Bon Dieu ! Ils n'allaient tout de même pas finir tous les quatre noyés comme des rats. Il rassembla toute sa force et dans un effort prodigieux fit sauter la porte qui les emprisonnait. Yann se rua sur le pont.

A l'air libre le bruit des vagues était terrifiant, et la mer faiblement éclairée par la lune bouillonnait d'écume. Quelque chose claqua derrière lui, il se retourna incrédule, la voile d'artimon était à moitié hissée et le vent s'y engouffrait en mugissant. En deux enjambées Yann fut sur la barre. Pétrifié d'horreur, il s'aperçut qu'Henry Ashley avait sorti le bateau de l'anse qui l'abritait et le menait droit devant, vers le large. Un Ashley en uniforme blanc à galons d'or de la Navy, trempé par les lames, sans casquette sans doute arrachée par le vent, les cheveux collés sur son visage aux yeux hallucinés.

Bon Dieu ! Il était devenu fou. Un dément tenait la barre de ce bateau, et s'y était même attaché. Yann hurla à son oreille.

– Henry ! Vous êtes cinglé, où allez-vous ?

– En enfer ! cria à son tour Ashley.

– Bon Dieu, Henry ? Pourquoi voulez-vous nous tuer ?

– Pas vous, Yann ! Seulement ma putain de femme... et la vôtre ! Il reprit son souffle, c'est bien que vous soyez sorti ! Dans le bruit et les coups de vent il haletait, foutez le camp, Yann ! Sautez à l'eau, nagez !

– Pourquoi ? Pourquoi faites-vous ça ?

Avant que Ashley puisse répondre, la voile d'artimon se déchira du haut en bas.

– Pourquoi, Henry ?

– C'est une putain ! Il y a des mois qu'elle a un amant, avant celui-là c'était un autre, et encore un autre... Tout est fini, Yann !

– Vous êtes complètement fou ! Yann pleurait défiguré par la colère, et Cynthia ? Que vous a t-elle fait ?

– Elle vous trompera aussi ! Comme toutes les autres ! Une lame plus forte fit trébucher Yann qui s'accrocha lui aussi à la barre. Leurs visages ruisselants près à se toucher, Ashley martela chacun de ses mots.

– Il n'y a qu'une maîtresse qui vaille, la mer, Yann, la mer, elle va me prendre dans ses bras et me garder, et je n'aurai plus jamais mal.

Yann réfléchissait à toute vitesse, il comprenait mieux cette fête insolite d'hier soir, c'était un dîner d'adieu. Ashley était fou, il avait posé sur le panneau d'écoutille tout ce qu'il avait pu trouver sur le pont. Il fallait l'assommer, appeler les femmes et se sauver. Il hurla dans la tempête, son visage collé contre l'autre.

– Cynthia ! Pas elle, pas Cynthia !

– En enfer ! Tous !

Yann le frappa au visage de toute la force de sa douleur et de sa rage. Ashley s'affaissa et lâcha la barre, la goélette se mit en travers et une lame déferlante balaya le pont, projetant Yann par dessus bord.

Une gifle d'une brutalité inouïe, l'impression de descendre dans un gouffre vertigineux comme aspiré dans un gigantesque tourbillon. Des murailles liquides où l'on ne peut s'accrocher, et des vagues qui soulèvent et roulent un corps maintenant inerte après s'être débattu convulsivement. Là-bas, au pays, les pêcheurs seraient surpris en apprenant qu'un des plus fameux nageurs de Saint-Malo s'était noyé. Comme un touriste parisien. Foutaises, tout ça ! Yann souriait, il savait maintenant comment était mort son père. En fait, ce n'était pas bien terrible. L'eau ne vous étouffe même pas, on se sent léger de plus en plus, si ce n'était cette angoisse...

Yann s'abandonna. A une vitesse fantastique, mais avec une précision extraordinaire toute son enfance se mit à défiler : les remparts, la grève, le Père Tellier, le capitaine Blin, sa mère... Tout allait si vite, bien trop vite : Hubert, Isabelle, Hélène, Cynthia...

– Cynthia !!!

Yann s'entendit hurler. Il nageait, les yeux brûlés par les larmes et le sel, il criait et l'eau lui emplit la bouche. Ce qu'il vit le terrifia. Les mâts presque à l'horizontale, le « Sea Bird » était irrésistiblement poussé vers la côte. Son timonier du diable attaché à la barre, le voilier drossé contre les rochers déchira sa coque, et soulevé par une vague énorme vint se fracasser sur les récifs dans un bruit effroyable qui couvrit un instant les rugissements de la tempête.

Yann entendit le drame plus encore qu'il ne le vit, et son cri d'épouvante y fit écho. Il nageait au creux des vagues, animé par le seul instinct de conservation, la tête vide et les membres douloureux. Des débris de bois surnageaient dans l'écume, lorsqu'il aborda à la côte au risque d'être brisé à son tour. Il s'arracha la peau des mains aux arètes vives du rocher, mais crocha de toutes ses forces pour s'y maintenir au sec. Les nuages cachaient maintenant la lune, et la nuit recouvrit le drame.

Le soleil était déjà haut dans le ciel lorsque des pêcheurs malais attirés par des épaves disséminées tout au long de la côte, trouvèrent le corps inerte d'un européen seulement vêtu d'un lambeau de pantalon. Il saignait de partout mais respirait encore. Son poids et sa grande carcasse nécessitèrent un char à boeufs pour le transporter au village voisin.

Dans la matinée, une vedette à moteur de la marine en tournée d'inspection au lendemain de la tempête, aborda sur les lieux du naufrage. Un pêcheur conduisit les anglais jusqu'à la petite maison en troncs de palmier, où l'européen reposait allongé sur une natte. Il reprenait parfois connaissance, leur dit-on, et replongeait dans un sommeil sans doute peuplé de cauchemars, car il s'agitait beaucoup. Il fut jugé transportable et le même char à boeufs l'amena jusqu'à la vedette. Il serait conduit à l'hôpital de Singapour.

Le lendemain, les corps de deux femmes furent jetés à la côte. Elles étaient dénudées et leurs cadavres bouffis par le séjour dans l'eau étaient déchirés par les rochers. L'une d'elles portait au poignet un bracelet aux pierre rouges cassées qu'on reconnut être des rubis.

La mer ne rendit jamais le corps d'Henry Ashley, artisan démoniaque d'une horrible vengeance. Cette mer qu'il avait tant aimée, jusqu'à lui offrir des innocents en pâture, le garda dans ses profondeurs. C'est sans doute ce qu'il aurait souhaité.

Nul ne connut jamais la vérité sur la tragédie du « Sea Bird », goélette maudite. Pas même la mère de Cynthia lorsque Yann, des semaines plus tard, fut en mesure de lui raconter sa version du naufrage. La fortune de mer et la tempête fournissaient une explication plausible à la dérive d'un bateau mal ancré, et à la fin tragique de ses passagers. Les deux enfants d'Henry et Maureen Ashley ne sauraient jamais que leur père était un criminel, et Yann, brisé, garda pour lui seul le terrible secret.

Sur la colline aux fleurs éclatantes qui domine la baie de Singapour, la tombe blanche de Cynthia Sunderland ne porte sous son nom en lettres d'or que deux dates gravées : 14 septembre 1870 - 7 juin 1896. Sa naissance et sa mort.

La neige tombait sur Saint-Malo en flocons légers qui tourbillonnaient dans le vent glacé. Joyeuses, les cloches de la cathédrale sonnèrent à toute volée dans la nuit, libérant les fidèles venus nombreux assister à la messe traditionnelle de la Nativité. Ils s'enveloppaient frileusement dans leurs manteaux de laine et hâtaient le pas, pressés de regagner la chaleur du foyer. Certains s'attardèrent pourtant sur le parvis, regardant étonnés un homme jeune et de haute taille à l'étrange comportement. Sorti de la nef au bras d'une femme au cheveux blancs recouverts d'une mantille noire, il avait ôté son chapeau et levé son visage au ciel comme en extase. Dans ses mains nues il prit de la neige sur le mur d'enceinte et la pétrit presque avec ferveur, en riant comme un enfant. La dame qui l'accompagnait sourit avec indulgence, avant de dire doucement :

– Yann, mon petit, tu vas prendre froid, sois raisonnable.

– Mais maman, il y a plus de six ans que je n'ai pas vu tomber la neige, je ne savais même plus que ça pouvait exister.

Yann retrouvait les Noëls de son enfance, et la neige qui symbolisait pour lui cette fête merveilleuse entre toutes. Il remit son chapeau et ses gants, offrit son bras à sa mère et tous deux prirent le chemin de la Porte Saint-Vincent, faisant crisser le mince tapis de neige sous leurs pas. Passant devant le nouveau Casino illuminé en cette nuit de fête, ils gagnèrent la chaussée du Sillon jusqu'à la villa, habitée depuis une quinzaine maintenant, achetée par Yann à son retour d'Asie.

Comme il en avait fait la promesse à sa mère, Yann s'était mis en quête d'une nouvelle résidence dès les premiers jours de son arrivée en Septembre dernier. Il avait arrêté son choix sur une maison récemment construite sur l'ancien emplacement d'un moulin. L'affaire avait été rapidement conclue en l'étude de Maître Radenac à l'angle de la rue d'Estrées, et la villa payée comptant par un chèque de la « National Bank of Singapore », ce qui avait un peu surpris le notaire.

Yann avait voulu que sa mère soit parfaitement indépendante, se réservant l'étage supérieur pour y entasser les souvenirs rapportés d'Asie. Il avait meublé toute la maison, mais avait respecté le désir de Catherine d'amener dans sa nouvelle demeure les vestiges du bonheur passé. La chambre de sa mère accueillit donc le lit où Yann était né, et les photos jaunies du mari et du fils occupèrent la place d'honneur sur le grand buffet de la salle-à-manger; Habituée depuis des décennies à l'unique pièce de sa modeste maison, Catherine s'émerveillait du confort de cette villa de riches autant qu'elle s'effrayait de ce que cela devait coûter à son fils. Yann avait lui-même été aussi amusé que bouleversé lorsque le jour même de son arrivée elle lui avait remis l'enveloppe laissée des années plus tôt. Catherine n'avait pas dépensé un centime. Elle montra même avec fierté qu'elle y avait ajouté un billet de cent francs, fruit de ses économies.

Nommé Directeur Général de la Compagnie pour l'Extrême-Orient, Yann avait quitté le continent asiatique au mois d'Août. De Ceylan à Singapour, les affaires avaient sans doute été florissantes qui lui valaient cette exceptionnelle promotion, mais la somme des épreuves traversées l'avaient épuisé physiquement et moralement. Et puis le mal du pays le tenaillait maintenant, le chagrin serait peut-être moins lourd à supporter là-bas près de sa mère sous le ciel de Saint-Malo, fut-il aux couleurs de l'hiver.

Ralph Beeston, qui ne manquait jamais de joindre l'utile à l'agréable, avait investi Yann d'une mission. La formidable expansion immobilière et touristique de Dinard, station voisine de Saint-Malo, attirait une clientèle anglaise de plus en plus importante. La haute noblesse, comme la gentry londonienne, fréquentait de plus en plus Dinard, en passe de devenir le Brighton breton, et la reine Victoria elle-même y avait séjourné.

Les ducs de Norfolk, de Westminster et de Connaught y retrouvaient le Gotha international, sans parler des princes russes dont les frasques défrayaient la chronique.

Le sens inné des affaires autant que son flair proverbial justifiaient que Ralph Beeston s'intéressât à ce nouvel Eldorado. Né de l'autre côté de la Rance, à la fois français et anglais par sa culture et son expérience, Yann devait être l'homme de la situation.

Une fois de plus le Directeur de la R.B.Company avait vu juste, et son envoyé sut négocier habilement de fructueuses acquisitions et de judicieux placements. Lui-même n'hésita pas à investir pour son propre compte en achetant des terrains en friche, mais idéalement placés en bordure de mer. Yann prit également des participations substantielles dans des hôtels en construction. Histoire de préparer l'avenir.

La froidure n'incitait pas aux sorties nocturnes. Encore meurtri des heures douloureuses vécues sous le ciel d'Asie, Yann n'en avait d'ailleurs nulle envie, réservant l'essentiel de ses soirées à sa mère. Devant la cheminée où brûlait un bon feu, il évoquait pour elle les séjours lointains. Il disait les flamboyants des jardins et les orchidées de la jungle, mais ne parlait qu'à peine des serpents et des fauves. Elle rêvait en l'écoutant raconter les temples et les pagodes, les rajahs et leurs fabuleux palais dans des pays où l'été dure toute l'année.

Catherine aurait cette année soixante et un ans. Le changement de situation qui faisait d'elle, à son corps défendant, une de ces dames de la ville chez qui elle avait servi humblement toute sa vie, ne se passait pas sans difficulté. Comme les pauvres gens qui ont toujours manqué du nécessaire, elle se reprochait le superflu. Et pour être immensément fière de la réussite de son fils, elle n'en craignait pas moins pour lui les revers de fortune.

Ses affaires dinardaises réglées au mieux, Yann consacra à sa mère les dernières semaines de son séjour, l'entraînant dans un tourbillon de sorties, de restaurants et de concerts, qui la grisa un peu. Si bien qu'un soir sous l'oeil incrédule et amusé de son fis, elle osa risquer une petite pièce au Casino. Elle n'avait pas misé sur le bon numéro, hélas, et fut affreusement déçue. Pour la consoler, et malgré le vent frisquet, ils allèrent le lendemain soir s'amuser aux lumières de la Sainte-Ouine, cette fête si chargée de souvenirs sous les remparts de la cité.

Lorsque vint le temps du départ, Catherine eut un peu de mal à cacher sa tristesse. Elle voulut accompagner son fils jusqu'au pied du steamer, l'embrassa tendrement et partit très vite. Yann, resté sur le pont pour voir une fois encore sa ville sous le soleil de Mars, eut la surprise d'apercevoir sa mère au passage des écluses. Elle lui cria quelque chose qu'il n'entendit pas. Avant que le môle ne la cache à ses yeux, il suivit longtemps la frêle silhouette qui agitait encore son bras au bout du quai. Le coeur serré, il gagna sa cabine.

*
* *

Ralph Beeston fut enchanté de revoir celui qu'il considérait comme son meilleur agent. Il le félicita de sa clairvoyance dans les affaires immobilières de Dinard, où il se rendrait lui-même cet été. Nouvelle mission de confiance, une tournée de quelques mois attendait Yann dans un pays immense et mal connu. Depuis plusieurs années, le Japon accueillait des savants et des techniciens et semblait devoir s'ouvrir aux échanges commerciaux. D'énormes possibilités pouvaient s'offrir un jour, il était intéressant d'y aller voir. Yann, conscient de l'importance de l'enjeu prépara avec le plus grand soin cette nouvelle aventure.

Voyageur de première classe, il embarqua sur le « Pacific Orient » superbe paquebot blanc aux luxueux aménagements. Yann se souvenait d'ailleurs d'avoir admiré ce grand navire à Singapour. Familier de la ligne, il fut sollicité pour faire profiter de son expérience les voyageurs novices, notamment pour leurs éventuels achats aux escales. Du salon-fumoir, il revit avec émotion les ports de Colombo et

Singapour sous le soleil ardent, restant dans sa cabine pour échapper aux souvenirs trop cruels. Hong-Kong le fascina par le grouillement de fourmilière de sa population, Shangaï lui sembla un peu plus calme, et quelque quarante-cinq jours après avoir quitté Londres, Yann Bellec débarquait à Nagasaki le vingt-neuf mai 1897.

La baie bien abritée et entourée de collines verdoyantes laissait bien augurer de la beauté du pays. La ville confirma cette impression et Yann, déjà vieux routier des pays d'Extrême-Orient, se dit qu'il n'avait encore rien vu de semblable. A commencer par l'exquise politesse des fonctionnaires chargés des formalités à la descente du navire. Il prit place dans une sorte de pousse-pousse aux roues très hautes, et son coureur se lança dans la circulation. Des centaines de ces curieux véhicules se croisaient, ils semblaient être le seul moyen de locomotion dans les rues d'une extrême propreté. Tout était pimpant, y compris les petites maisons bâties de bois et de papier blanc qui ressemblaient à des jouets d'enfant. Où étaient les cris et les odeurs de l'Asie ? Et les corbeaux chargés de la voierie ?

En accord avec Londres, le consultant anglais avait bien fait les choses et tout avait été préparé à son intention. Adresses, contacts, lettres de change et d'accréditation l'attendaient à l'International Club. Yann apprécia très vite les coutumes japonaises, les maisons de thé et les geishas, les bains où des demoiselles en kimono le lavaient avec minutie dans des baquets remplis d'eau très chaude. C'est surtout la propreté des gens qui le surprit, ici lui dit-on, chaque habitant qu'il soit jeune ou vieux, ouvrier ou paysan, prenait un bain chaud chaque soir. Un luxe inconnu à Singapour ou en Chine, et même à Saint-Malo.

Yann prospecta à travers le pays, rencontrant des chefs d'entreprise portant jaquette et pantalon rayé, déjà occidentalisés en apparence, des hauts fonctionnaires et des proches de la cour impériale. La politesse exquise ne se démentait jamais, mais au fil des mois derrière l'éternel sourire de courtoisie il réalisait la difficulté de sa tâche.

De l'archipel des Kouriles jusqu'à l'île Kyushu Yann multiplia les contacts. La puissance maritime du Japon qu'il découvrit à Yokohama l'impressionna beaucoup. Elle s'était exprimée trois ans plus tôt au détriment de la Chine, et l'industrialisation du pays devenait considérable. Yann eut un peu le sentiment d'un échec lorsqu'il embarqua à Nagasaki, bien qu'ayant arrosé son trente-troisième anniversaire au saké et découvert l'érotisme des superbes estampes locales. Il avait tout de même aussi signé d'intéressants contrats, concernant des matières aussi différentes que les laques et la porcelaine, le coton et la soie grège. Ce n'était peut-être pas Austerlitz, mais tout de même pas Waterloo !

Ce fut en quelque sorte par le chemin des écoliers que Yann choisit de regagner l'Angleterre. Ce voyage de retour serait aussi un adieu à l'Asie. Il en avait pris la décision lors de son séjour au Japon, après avoir vécu des années sur un continent qui le fascinait toujours. Il y avait aimé et souffert, goûté à tous les plaisirs et bu la coupe amère du désespoir. Sa réussite professionnelle avait été totale mais payée chèrement, et une certaine lassitude l'envahissait. Il fallait regarder maintenant vers d'autres horizons, voler de ses propres ailes peut-être.

Saïgon, Singapour, Colombo furent autant d'escales nostalgiques sur le chemin du retour. Des amis retrouvés, des amours enfuies, des whiskies où l'on noie la mélancolie et des corps de femmes pour oublier la pesante solitude. Les quais et les docks du port de Londres étaient inondés de soleil lorsque le paquebot vint s'y amarrer. Yann y vit un heureux présage.

A ses qualités naturelles Ralph Beeston ajoutait le fair-play, il le démontra lorsque Yann Bellec son meilleur agent de par le monde, l'avisa de sa décision de reprendre sa liberté. Il n'est jamais facile de perdre un collaborateur de cette qualité, mais il apprécia sa franchise et respecta sa décision. Il savait que Yann avait par ses qualités gagné beaucoup d'argent, et qu'il avait su le faire fructifier en diversifiant ses placements avec intelligence. Il s'enquit néanmoins.

– Qu'allez-vous faire, Yann, maintenant ?

– Je ne sais pas encore, j'ai besoin de réfléchir mais je rentre à Saint-Malo, les quelques mois passés là-bas l'an dernier m'ont conforté dans cette idée.

– Je suis prêt à vous aider si vous le souhaitez, dit Ralph Beeston, vous me trouverez toujours à vos côtés, il ajouta en souriant, vous êtes d'ailleurs actionnaire d'une excellente Compagnie toujours au beau fixe à la Bourse de Londres ! Si un jour vous le souhaitez, Yann, cette maison vous sera à nouveau ouverte, la Compagnie vous doit beaucoup.

– C'est moi qui vous dois tout, Mister Beeston, et ma reconnaissance et mon amitié vous sont acquis à jamais.

– Laissons cela, j'ai toujours apprécié votre courage et votre loyauté en ces neuf ans de collaboration, je vous aime bien, Yann et je vous souhaite d'être heureux dans cette nouvelle vie que vous choisissez. Je sais que nous nous reverrons, peut-être à Dinard où nous avons, je crois, des intérêts communs.

Dans la rade de Portsmouth où la marine anglaise étalait sa formidable puissance, le vapeur de la Southwestern salua d'un coup de sirène la relique du « Victory », le vaisseau-amiral du grand Nelson. Sur le pont, Yann embrassa du regard les côtes anglaises qui s'éloignaient, un peu ému malgré tout. L'île de Wight s'estompait déjà. Il reviendrait, bien sûr, dans ce pays auquel il était attaché et dont il avait parlé la langue durant des années. Ici, pensa t-il, vivaient des gens solides, des insulaires. Comme jadis les malouins.

La même émotion l'étreignait chaque fois, mais ce matin d'avril rendait sa ville lumineusement belle, et l'ultime coup de sirène du steamer fit s'envoler les goélands qui cherchaient leur pitance dans le bassin Vauban. Yann Bellec rentrait au pays.

Aucun continent ne marque à ce point ceux qui y ont vécu. L'Asie vous prend, vous attache, vous retient et vous garde. Yann se souvenait des paroles prophétiques du père Le Gallic, alors qu'il n'était encore qu'un gamin fasciné par les récits du vieux soldat. « Tu ne t'en déprendras jamais », disait-il. Et c'était cela. Il est dans la nature de l'homme de ne retenir, semble t-il, que le meilleur en oubliant le pire.

Du Tonkin à Ceylan, de Fou-Tcheou à Singapour, de Saïgon à Yokohama, Yann avait connu la jungle et ses dangers, les fleuves impétueux et les calmes rizières, les flots de la mer de Chine et leur jonques tranquilles, des soleils brûlants et des pluies diluviennes, la douceur exquise et les tourments cruels. Comment oublier tout cela ?

Pourtant, comme d'une page tournée au livre de sa vie, Yann entamait une nouvelle existence. Il le faisait avec sa fougue habituelle et sa passion retrouvée, regaillardi par l'air iodé des plages de son pays.

– Cette fois, maman, je reste ici, je ne partirai plus ! avait-il proclamé.

– Ton père aussi disait ça, avait répondu pensivement Catherine.

Une frénésie d'activité s'était emparé de lui, il n'était pas dans sa nature de vivre tranquillement de ses rentes. Les installations de Dinard requéraient souvent sa présence, la station devenait de plus en plus une colonie anglaise avec ses mondanités, son temple protestant et son Ladies-Club. Lawn-tennis, golf et cricket mettaient la petite ville à l'heure britannique. A l'école de Ralph Beeston, Yann avait su apprendre. Les nombreuses traversées quotidiennes entre Saint-Malo et Dinard lui firent prendre des participations dans la Compagnie des vedettes qui assuraient le passage.

C'est par une nuit d'octobre que mourut, aussi discrètement qu'elle avait vécu, Catherine Bellec à l'âge de soixante-trois ans. Rien ne laissait présager ce départ presque furtif, sauf peut-être une certaine fatigue depuis quelques jours. La veille au soir ils avaient encore parlé tous les deux, Yann assis au pied de son lit. On redevient toujours un enfant à la mort de sa mère, et Yann la pleura de tout son coeur. Il suivit son cercueil jusqu'au cimetière de Rocabey sous une pluie fine et pénétrante, et regagna la villa solitaire le long de la mer noyée de brume. Comme ses yeux.

Il n'y eut pas de neige en ce Noël de solitude, mais la vie continuait. Il s'agissait aussi d'y tenir sa place dans un monde où le progrès avançait à pas de géant à l'orée d'un siècle nouveau.

La grande pêche à Terre-neuve était devenue une des plus importantes activités de Saint-Malo. Quelque cent-dix trois-mâts partaient chaque année pour les bancs, de Mars à Novembre. Ironie du sort, l'Armement qui jadis avait employé son père proposa à Yann Bellec d'entrer dans le capital de la Société. Il déclina la proposition. Sa position sociale l'amenait maintenant à fréquenter les réceptions officielles et privées, et les femmes regardaient ce très bel homme aux yeux bleus où passait parfois un peu de mélancolie, mais dont la prestance et le sourire faisaient chavirer les coeurs.

Les rares aventures, une blonde anglaise à Dinard et une volcanique touriste italienne à Saint-Malo, menées depuis son retour en France n'avaient été que des passades. Certains s'étonnaient que cet homme d'une rare séduction soit demeuré célibataire à trente-quatre ans. On savait qu'il avait vécu en Asie et les supputations allaient bon train. Peut-être était-il marié là-bas ? D'aucuns évoquaient, mystérieux, un chagrin d'amour pour une princesse hindoue. Le mystère ajoutait à sa légende, et Yann était regardé comme un des plus beaux partis de Saint-Malo.

La réussite et la notoriété présentent d'appréciables avantages, elles imposent aussi certaines contraintes, et il est difficile de vivre en permanence corseté de respectabilité. Une liaison, voire une aventure avec une des femmes rencontrées dans les milieux bourgeois où il évoluait désormais, eût été difficile à cacher et la rumeur en aurait vite fait le tour de la ville. Dans le passé, il n'avait que deux fois seulement souhaité donner son nom à une femme. L'une avait épousé un autre homme, la seconde avait péri en mer. Pour lui elles étaient mortes toutes les deux, et Yann n'avait plus vocation au mariage. Passé le cap de la tristesse, il lui fallait vivre pleinement et retrouver de temps en temps la fête chaleureuse et folle qu'il avait tant aimé.

Dans l'armoire de sa mère, les modestes vêtements de sa jeunesse étaient toujours là, ceux des soirées tumultueuses de la rue de la Soif et du « Feu de Tribord ». A l'instar des personnages du livre d'un romancier écossais qu'il avait lu quatre ans plus tôt, Yann décida de se transformer parfois – mais en moins inquiétant – en Dr Jekkyl et Mr Hyde. Habillé de toile bleue, d'un tricot rayé et d'une casquette il ressemblait ainsi à n'importe quel marin, et certaines fois il lui arrivait de revivre avec un réel plaisir les chaudes soirées d'antan. Les matelots et les filles des tavernes n'auraient jamais osé imaginer que ce grand gaillard qui savait rire et boire avec eux, était le même que le gentleman en haut de forme et jaquette, qui assistait aux courses de Dinard en compagnie du comte Rochaïd.

Il était assez peu probable que Yann rencontrât jamais dans les cabarets mal famés de Saint-Malo, les distingués Directeurs avec lesquels se traitaient ses affaires. Il avait loué une petite chambre meublée dans la soupente d'un immeuble de la rue Sainte-Barbe. Dans cette modeste garçonnière, ses amours de passage avaient des parfums de jeunesse et la saveur exquise du fruit défendu.

Il advint qu'un soir une bagarre homérique opposa au « Perroquet Vert » des marins danois pris de boisson et des membres de l'équipage d'un autre bateau, matelots de tout poil et de toutes races, eux-mêmes sérieusement éméchés. Les descendants des Vikings étaient en force, et les projectiles les plus divers se mirent à voler dans l'établissement. Yann regardait cela avec un certain détachement, lorsque un tabouret en fin de trajectoire vint atterrir sur sa table fracassant verres et bouteilles. En d'autres temps il eut peut-être trouvé l'événement plaisant, mais sa compagne d'un soir – un vrai morceau de roi – avec laquelle les pourparlers semblaient bien engagés, se mit à hurler en voyant du sang sur sa main légèrement entaillée par un éclat de verre. Comme aux plus beaux jours, Yann se lança dans la mélée.

Contre les barbares nordiques, Yann représentait à la fois la France et Saint-Malo en même temps que l'honneur entaillé de sa cavalière. Avec une jubilation profonde, il étendit d'un seul direct au visage le premier qui se présenta devant lui. Deux autres coups au but allongèrent ses suivants. Incontestablement, la forme était là. Yann tournoya et ne vit pas arriver la foudre sur sa tête sous la forme d'un autre tabouret manié avec une force peu commune. Assommé, il s'effondra. C'est alors que des coups de sifflet retentirent, dispersant vers la sortie la plupart des antagonistes soudainement réconciliés pour trouver leur salut dans la fuite. La police arrivait, qui embarqua le dernier carré d'irréductibles dans le panier à salade aux fenêtres grillagées. Yann, toujours évanoui, fut hissé à l'intérieur et poursuivit son sommeil profond sur le plancher du fourgon.

Le commissariat de police faisait corps avec l'Hôtel de Ville, devant la cathédrale. Surmonté de sa lanterne rougeâtre, il était fort exigu et le « violon municipal » était situé juste derrière au fond d'une petite impasse. Les ivrognes y cuvaient leur vin tranquillement jusqu'au lendemain. Yann qui émergeait lentement de son sommeil y fut bouclé avec le quarteron de poivrots embarqués au « Perroquet Vert ».

Son crâne était douloureux et sa nuque engourdie, mais lorsqu'il fut totalement réveillé, Yann réalisa avec consternation l'étendue du désastre. Ses compagnons d'infortune ronflaient bruyamment allongés sur le bat-flanc, ceux-là avaient l'habitude. Par la petite fenêtre garnie de barreaux, Yann apercevait les étoiles. Il était hors de question de sortir de là. Il n'avait ni tué ni volé et le seul délit de tapage nocturne n'avait jamais conduit personne à l'échafaud. Dans le pire des cas il devrait payer les dégâts, ce qui était un moindre mal. Par contre, sa réputation allait en prendre un sacré coup à l'arrivée du commissaire, avec la révélation d'un bourgeois tenant le haut du pavé qui la nuit venue fréquentait les mauvais lieux, vêtu en matelot. Celui qui avait été pressenti pour être nommé Consul de Grande-Bretagne, faisant le coup de poing au « Perroquet Vert ». Shocking !

Il ne restait que la porte pour sortir de ce trou. En chêne, elle semblait solide. Pourtant, en la secouant Yann constata que la serrure fréquemment sollicitée jouait un peu. De l'épaule, il poussa de tout son poids sans résultat. Alors il prit du recul et se lança comme un bélier, frappant de l'épaule sans souci du bruit. Un des dormeurs grogna dans son sommeil. Ce n'est qu'à la cinquième charge sauvage que deux des vis de la serrure furent arrachés du bois.

Alors Yann poussa aussi fort qu'il put et la porte s'entrebailla. Un dernier effort et la serrure tomba sur le sol en terre battue, vis tordus et arrachés. Il n'était bien sûr pas question de sortir par le poste en saluant les agents, mais un petit escalier dans la cour menait à l'arrière-scène de la salle des fêtes. La porte n'en était pas fermée à clé. En tâtonnant à la flamme de son briquet d'amadou, il franchit portes et couloirs et se retrouva dans l'Hôtel de Ville. Il descendit l'escalier d'honneur, passa devant la loge du concierge, ouvrit à double battant le portail et sortit sur la place déserte.

L'alerte avait tout de même été chaude, il ne fallait pas jouer avec le feu et Yann remisa dans la vieille armoire les habits fripés des nuits canailles de la rue de la Soif. La semaine suivante, l'agent de police en faction devant le poste salua le grand bourgeois vêtu de gris-perle, qui se rendait à la réception donnée par le Maire de Saint-Malo en l'honneur du nouveau Sous-Préfet. Son visage lui rappelait vaguement quelqu'un. Mais qui ?

*

*   *

Chaque année la visite de l'escadre maritime était un événement considérable à Saint-Malo. Croiseurs et torpilleurs, frégates et avisos, toute la fine fleur de la flotte française faisait une escale de quelques jours, marquée par de brillantes réceptions. L'Hôtel de Ville, la Sous-Préfecture, entre autres administrations, recevaient les officiers des différents bâtiments de guerre, ambassadeurs de la Marine Nationale. Discours, toasts, échanges de cadeaux et de souvenirs sous les lambris préludaient au dîner officiel toujours somptueux.

La marine rendait la politesse, et les réceptions à bord des bâtiments rassemblaient toutes les personnalités avec leur famille. Elles étaient à juste titre réputées pour leur éclat, la qualité et la finesse des vins et des mets, et... le charme des jeunes officiers qui accueillaient les invités. Les jeunes filles de la bonne société attendaient toute l'année que revienne le temps de la visite de l'escadre, et leurs mères en rêvaient aussi.

Le soleil de mars illuminait Saint-Malo, lorsque les navires uniformément gris mais arborant le grand pavois firent leur entrée dans le bassin après le passage des écluses, sous les applaudissements de la foule massée sur les remparts. Le croiseur qui vint s'amarrer en premier portait la marque du Vice-Amiral Thuaux, commandant l'escadre de l'Atlantique en visite officielle. Les autres bâtiments prirent position tout au long du quai, et toute la journée les malouins se pressèrent pour admirer l'impressionnante armada.

D'un pas alerte Yann monta la passerelle qui permettait d'accéder au navire-amiral, après avoir remis son bristol au factionnaire de la coupée. Il fut salué par les sifflets des matelots au garde à vous, et l'ex-quartier-maître des fusiliers-marins Bellec apprécia cet hommage réservé aux officiers et aux personnalités. Accueilli par un jeune Enseigne, il gagna l'immense tente dressée sur le pont sous laquelle le commandant de l'escadre recevait ses invités. Yann n'avait pas assisté à la réception de la veille à l'Hôtel de Ville, à laquelle il était pourtant convié, mais n'avait pas résisté au plaisir de venir découvrir cet impressionnant navire de guerre. Dressé sur des nappes immaculées, le buffet était superbe offrant à profusion champagne, porto, petits fours et autres douceurs. Des serveurs en veste blanche officiaient. Yann prit une coupe de champagne, salua quelques visages connus et s'avança vers les personnalités qui devisaient avec des officiers entourant le Vice-Amiral Thuaux.

Les officiers étaient en grand uniforme de drap noir aux broderies d'or, pantalon brodé, ceinturés d'or et de soie bleue, épaulettes, sabre et bicorne. Yann serra la main de Lempereur, un des adjoints au Maire avec lequel il entretenait d'excellentes relations. Celui-ci le prit par le bras.

– Dites-moi, mon cher Bellec, vous ne connaissez pas l'Amiral ?

Yann dut avouer qu'effectivement ce dernier ne comptait pas au nombre de ses relations.

– Venez, je vais vous le présenter !

Yann le suivit, et Lempereur s'inclina vers l'officier.

– Amiral, permettez-moi de vous présenter Monsieur Bellec dont les activités à Saint-Malo sont multiples et florissantes, il a été lui-même dans la marine, au Tonkin je crois.

– Vraiment, dit l'Amiral, je suis enchanté de rencontrer un collègue. De taille moyenne, il avait un sourire extrêmement sympathique. Yann se dit que l'adjoint aurait pu éviter de parler de marine.

– C'est aussi un plaisir, Amiral, s'entendit-il répondre.

– Etiez-vous là-bas avec Courbet ? interrogea l'officier.

L'Amiral ne connaîtrait jamais la réponse, un officier de haute taille s'était penché pour lui parler à l'oreille. Yann, bouche-bée, le reconnut immédiatement et son cri joyeux fut spontané.

– Hubert ! L'officier se retourna interloqué et son propre cri y fit écho.

– Yann ! Sans souci des convenances, ils se précipitèrent bras ouverts et s'étreignirent chaleureusement.

– Je vois que vous vous connaissez, observa l'Amiral en souriant, je vous laisse à vos retrouvailles. Il s'éloigna vers un groupe d'invités.

Le Capitaine de frégate Hubert de Valclouet avait rectifié la position. Les yeux brillants d'émotion, il regardait son ami d'un air incrédule.

– Yann ! Mais comment ?

– C'est une longue histoire, Hubert, répondit-il bouleversé de joie, je suis tellement heureux de vous revoir !

– Moi aussi, Yann, après toutes ces années, il marqua un temps,... et toutes ces épreuves.

Un peu à l'écart ils échangèrent quelques propos, mais le brouhaha des conversations et le ballet des serveurs avec leurs plateaux ne facilitait pas l'intimité. L'officier devait souvent s'interrompre pour saluer des invités qui prenaient congé, aide de camp de l'Amiral il lui fallait aussi ne pas trop s'en éloigner. Animés du même désir de se retrouver et de parler librement, ils convinrent de se revoir en fonction des obligations d'Hubert.

– Voulez-vous demain soir ? proposa l'officier, l'Amiral a une réception privée dans un château des environs, je serai donc totalement libre.

– Merveilleux ! Si vous le voulez bien, nous dînerons à la « Duchesse Anne », cela nous rappellera de fameux souvenirs.

– Je m'en réjouis d'avance, sourit le Capitaine de frégate qui ajouta en contemplant son ami, mazette ! Quelle élégance, cher Yann, vivement demain !

– Je vous attendrai au pied de la coupée, disons à vingt heures ? proposa Yann. Après une dernière et cordiale poignée de mains, Hubert retourna à ses mondanités et Yann pleinement heureux descendit en sautillant la passerelle du navire. Le factionnaire se dit que celui-là avait peut-être un peu forcé sur le champagne de l'Amiral.

*

* *

– Votre table habituelle est réservée, Monsieur Bellec, permettez-moi de vous débarrasser, Messieurs. Le maître d'hôtel s'empressait. Hubert eut une petite moue admirative en regardant son ami, avant de prendre place à la table étincelante de cristaux dans un salon particulier au premier étage.

Le dîner était délicieux et les vins de grande origine. Yann l'avait voulu ainsi pour que puisse s'exprimer dans la chaleur communicative d'une bonne table, toute l'amitié et la reconnaissance qu'il éprouvait pour Hubert. En connaisseur l'officier appréciait et la conversation allait bon train, émaillée de souvenirs communs. Yann avait raconté – en passant sous silence certains épisodes – ses années de travail et ses voyages pour le compte de la R.B.Company d'Australie au Japon, et son retour à Saint-Malo. Hubert ne cacha pas sa joie.

– Eh bien, Yann, votre réussite me comble, j'ai toujours eu la plus grande confiance en vous, je sais aujourd'hui que vous en étiez digne.

– Sans vous, Hubert, répondit Yann avec émotion, rien de tout cela ne se serait produit, comment pourrais-je jamais vous remercier ?

A son tour Hubert parla de sa carrière. Agé de quarante-deux ans, il espérait être nommé Capitaine de vaisseau l'an prochain et obtenir un nouveau commandement à la mer. Dans l'immédiat, il faisait partie de l'Etat-major de l'escadre de l'Atlantique basée à Brest. Avec pudeur il évoqua la mort de ses parents survenue cinq ans plut tôt, son père enlevé en quelques semaines, sa mère qui ne lui avait pas survécu très longtemps.

Yann avait connu la même souffrance, mais une question lui brûlait les lèvres qu'il n'osait pas formuler. Comme on se jette à l'eau, il se décida à l'heure des liqueurs.

– Et Isabelle ? Pardonnez-moi, Hubert, vous n'avez peut-être pas su dans quelles conditions...

– Je sais tout, Yann, coupa l'officier, ma soeur m'a raconté... un après son mariage lorsque je suis rentré de Chine. Sa voix se fit plus grave. Si j'avais été présent rien de tout cela ne serait arrivé, mais Isabelle s'est affolée, les mauvais placements de mon père et les menaces qui pesaient sur le domaine l'ont conduite à cette extrêmité, et elle s'est mariée uniquement pour éviter le naufrage de notre famille.

– Est-elle... Est-elle heureuse ? osa murmurer Yann.

– Elle est veuve depuis trois ans, répondit doucement Hubert de Valclouet.

Yann reçut le choc. Comme une onde glacée suivie d'une coulée de plomb fondu. Il resta pétrifié, incapable d'articuler une parole.

Hubert avait vu l'effet produit par son annonce. D'un geste spontané il prit la main tremblante de son ami. Emu lui aussi, il chercha son regard.

– Yann, je ne me permettrais pas de vous demander quels sont vos sentiments actuels, ce que je peux vous dire simplement c'est qu'elle n'a jamais cessé de penser à vous.

*

* *

Le drame s'était déroulé trois ans plus tôt lors d'une chasse à courre. Précédé de la meute, l'équipage avait quitté le château au petit trot des chevaux et emprunté la grande allée bordée de chênes centenaires. Passé le portail monumental, la trentaine de cavaliers s'engagea résolument vers la forêt. Déjà, loin devant, les chiens donnaient stimulés par le piqueux dont le fouet habilement manié rappelait à l'ordre les plus excités. En ce début de printemps, l'air était encore vif sous le ciel tranquille de Touraine, et le souffle des chevaux s'exhalait en bouffées légères dans la lumière du matin.

Des heures durant la quête des chiens se poursuivit, lorsqu'une trompe résonna dans le lointain. La meute avait-elle perdu la piste ? Au galop de son cheval le veneur s'en fut aux nouvelles, la piste jusqu'alors suivie était celle d'un daguet. Déjà les chiens étaient repartis sur d'autres traces décelées par le maître de vénerie. Sauf erreur improbable, il s'agissait cette fois d'un dix cors.

Traversant les bois et les labours, franchissant les talus et les fourrés, les cavaliers étaient maintenant lancés au galop. Le cervidé ne devait pas être très loin et les chiens se déchainèrent en aboiements féroces.

Courbé sur l'encolure de son cheval, le cavalier qui menait la longue file des poursuivants s'engouffra sous le couvert. Eperonnant les flancs de sa monture, il déboula à brides abattues guidé par le furieux tumulte des chiens courants. Il lui fallait être le premier au moment de l'hallali, pour servir l'animal. Il ferait les honneurs du pied à la jeune vicomtesse, dont les yeux promettaient beaucoup lorsqu'ils croisaient les siens. Celle-là devait avoir un tempérament de feu, elle ne lui résisterait pas bien longtemps.

Tout proche éclata lancé à pleins poumons le « Taiaut » du maître de vénerie. Surpris, il se dressa sur ses étriers et vint se fracasser le crâne sur une basse branche. La chasse à courre s'achevait en tragédie dans la forêt d'Amboise. Le corps inerte du cavalier fut transporté en son château, et sur les cinq heures de l'après-midi mourut sans avoir repris connaissance François, Marie, Joseph, baron d'Arnonvelles du Boulhart.

Le ciel d'avril se piquait de petits nuages blancs mais la douceur de l'air l'annonçait avec certitude, le printemps était arrivé sur les côteaux d'Amboise. Dans le petit salon du château du Boulhart, la baronne d'Arnonvelles regardait incrédule l'enveloppe posée sur un plateau, apportée tout à l'heure par la femme de chambre. Cette écriture jamais oubliée, aux longs jambages un peu tarabiscotés, ce n'était pas possible, ce ne pouvait être... Elle eut du mal à réprimer le tremblement de ses mains, et dut s'asseoir les jambes soudainement faibles, le coeur battant la chamade.

C'était Yann, c'était bien lui. Tant de jours, tant de nuits, elle avait attendu, espéré. Du fond de sa mémoire un visage surgit et se précisa avec des cheveux bruns très courts – c'est vrai, il était marin à l'époque – et des yeux d'un bleu jamais retrouvé depuis, comme d'un ciel d'été lumineux.

Le souffle court, opressée, elle lisait et le bonheur l'envahit. Elle eut envie de rire, de chanter, et tout l'amour enfoui au fond de son coeur jaillit impétueux éveillant les souvenirs. Des baisers et des larmes, des mains sur son corps, puis la tristesse, le désespoir et la solitude. Mais tous les soleils allaient s'allumer,

Yann était à Saint-Malo, seul, et souhaitait la revoir, il disait l'aimer encore. Lui aussi avait pleuré, souffert. De leurs désespérances sortirait peut-être un nouveau bonheur, plus fort parce que forgé au creuset de la souffrance. Isabelle ouvrit la fenêtre, n'était-ce pas plutôt à un ciel de printemps comme celui-là que ressemblaient les yeux de Yann ? Son Yann. Elle alla au petit secrétaire en marqueterie, prit enveloppe et papier mauve au fond d'un tiroir et fit courir sa plume.

*
* *

C'est en la vieille cathédrale de Saint-Malo qu'Isabelle, conduite à l'autel par son frère le Capitaine de vaisseau Hubert de Valclouet, épousa Yann Bellec aux premiers jours du printemps de l'an 1901. Tout le bonheur du monde brillait dans les yeux vert d'eau de la mariée lorsqu'elle sortit au bras de son mari rayonnant. Le témoin de Yann, un anglais au teint coloré, se tailla un beau succès sur le parvis, lorsque au lieu des dragées traditionnelles il lança aux gamins de Saint-Malo une poignée de pièces d'or. Comme d'une pluie d'étoiles faisant briller les yeux, leurs cris de bonheur illuminèrent tous les visages. Et ce que Yann murmura à l'oreille d'Isabelle, seul le vent l'entendit.

CET OUVRAGE
A ÉTÉ REPRODUIT
ET ACHEVÉ D'IMPRIMER
SUR ROTO-PAGE
PAR L'IMPRIMERIE FLOCH
À MAYENNE EN MARS 1992

Dépôt légal : mars 1992.
N° d'impression : 32226.
Imprimé en France